JN074893

もう一度…
やり直しのための思索

フーコー研究の
第一人者による
7つのエッセイ

マチュー・ポット＝ボンヌヴィル [著]
村上良太 [訳]

Recommencer
Mathieu Potte-Bonneville

社会評論社

……そして私たちはまた清澄になる！
（フリードリッヒ・ニーチェ「悦ばしき知識」）

巨人。——現れつつある、再び。
（デビッド・リンチ「ツイン・ピークス」）

目　次

1. 編み直し　Reprise

●ラッセルがフレーゲに宛てた不吉な手紙

　手紙は月曜日に投函された。

　その手紙があて先に届くまでには間違いなく、数日はかかったはずだ。というのも手紙はイングランド南東部サセックスの緑の丘を駆け下り、ドーバー海峡を渡り、ベルギーを経由して、ドイツのウエストファリアの一角を齧るように運ばれなくてはならなかったからだ。さらに、手紙はヘッセン州をかすめて、ようやくチューリンゲン州のイエーナに到達できる。ともかく、手紙が出発したのは月曜日のことだった。1902 年 6 月 16 日の月曜日である。この日付はレターヘッドに記されており、灰色の一本の弓矢が刺さったように見える。つまり、手紙にはその春を曇らせ、一週間の何曜日でも月曜日に変えてしまうに足る知らせが含まれていたのだ。それがたとえ実直な木曜日であれ、期待に満ちた金曜日であれ、悲しげか、忙しいか、あるいは軽々しい土曜日であれ（チューリンゲン州にそのような土曜日があればだが）、いずれも興奮と疲労が比類なく混ぜ合わされた月曜日に特有のものとなっただろう。足どりが重く、やる気が引いていき、一週間がやたら長く、周りの誰も助けてはくれないような、くすんだ開花期に不機嫌な思いだけが確実に生まれる月曜日。

　書き手のバートランド・ラッセル^(訳注)は若い哲学者であり、論理学者であり、数学者であった。そのすべての肩書きの持ち主として、ラッセルは 25 歳年上のドイツ人の文通相手、ゴットロープ・フレーゲ^(訳注)をまず褒めるのだった。フレーゲの「算術の基本法則」は厳密に、理性の最高の成果である論理学と数学に共通

の基盤を据えたということについて筆をしたためたのだ。フレーゲの著作は野心的なもので、計算に適合させた言語を通して思考をめぐる法則を述べようとし、単純な要素が曖昧さのない規則に従って各言語の翻訳と同等に、一方では事物に適応される論理も、他方では数字の上で行われる処理も両方できるのがねらいだった。ラッセルによると、この透明で数学的で論理的であるエクリチュール（文体）によって同時に書き換えられたそれらの二つの成果が、ほとんど区別がつかないものになろうとしていたという。ラッセルの文章は玄人としての讃辞と、共犯者的な目配せの間で揺れ動いていた。というのもラッセル自身、これまで不可能と思われてきた障壁を何気なく跨ぎ超えるフレーゲのやり方に共感していたからである。当時、ラッセルもフレーゲの企てと双子のように似たプロジェクトに、同国人のアルフレッド・ノース・ホワイトヘッド^{（訳注）}と取り組んでいた。二人は「プリンキピア・マテマティカ」（数学原理）と題する本を出そうとしており、彼らも純粋な思考形式を用いる原理を打ち立てたいと願っていた。これは必然的な企てだった。というのも、数学こそはガリレオやニュートンの時代以来、私たちの自然の知識において、葉における葉脈のような基礎となっていたからだ。だからこそ、うまくいけば君臨しているそれらの法則を一連の法則にまとめ上げ、苦も無く、理性の法則から現実世界の構造へと橋渡しすることができるはずだった。

● 「ラッセルのパラドックス」がフレーゲの企てを直撃

　だが、すべてうまくいったわけではなかった。それが、ラッ

セルがドイツへ手紙を送った理由だ。一つのことが困難をもたらしていた。たった一つのこと（「Nur in einem Punkte」）だとラッセルは言う。今日の読者は（あの刑事コロンボ以来、この「たった1つの点」がたくさんの破滅を意味してしまいかねないことを知っているだろうから）、この言葉を読むとがっくり頭をうなだれてしまうのだろう。ラッセルは 1959 年に出版した「わが哲学的思考の歴史」という知的自伝の中で、その一点についてまとめている。

「好ましくない状況は実際にひどくまずかった。これまでアリストテレスの時代から、どんな学派であろうとすべての論理学者が認めていた様々な前提条件から、何らかの歪みがありながら、その歪みを正す手立てを与えることができない場合、矛盾が推論できるということが明らかになった」

　その 57 年前、月曜日の日付のあの手紙で害のある 1 つの矛盾が二十世紀を暗くするほどの論理学の危機を予兆したわけだが、その指摘はだいたい 8 行に過ぎなかった。重大な告白を長く我慢していて、それを陳述したすぐあと誰もがやるように、述べた内容を避けるかのように、ラッセルはひょうきんな話に移り、大急ぎでもっと元気な話をし始め、フレーゲに彼が書いた原稿のコピーを送って欲しいと頼み、あるいは、ラッセル自身も自分の本を書き終えようとしているのだと告げている。その本が書き終わろうとしていることは手紙で予兆したその壊滅を避け、地震を無に帰すことができるかのようだ。要するに、対位法的なことを行うのだ。

だが、糊づけは十分ではなく、ひび割れは広くなってしまう。ひび割れは、一方ではアリストテレスの時代まで怒涛の如く時を遡上し、他方では折れ線のようにうねりながら、イエーナのフレーゲが丹念に作り上げた知的構築を直撃した。そのフレーゲは6月22日に既に筆を執り、どんなに落胆したかラッセルに書いた。つまり月曜から日曜まで、手紙の発送から返信まで、一方による警告から他方の敗北まで6日間だけ経ったのだ。先輩格のフレーゲが数学の基礎を構築しようとした土台を揺るがした「ラッセルのパラドックス（逆説）[訳注]」が率直にフレーゲのシステムの頂を切り崩し、彼の企画を根底から崩し、とりわけ、思考と記号との間の親和性に楔を入れてしまったのだった。それはあたかもガラスに出来た傷によって窓ガラスが明かされるように、あるいは、ダイヤモンドにできる汚れによってダイヤモンドであることを証明するように。「ラッセルのパラドックス」は論理学者たちが作り上げた言語が、それ自体は出来が良くても、理性自体とは別であることを示した。フレーゲはそれに対して立ち直れなかった。その頃、フレーゲの大著「算術の基本法則」の第二巻がすでに印刷に回されていたが、フレーゲは慌てて付録をつけ、しぶしぶこう書き記した。

　「科学の本を書くものにとって、本が完成間際になってその研究内容の基礎の一つが瓦解することほどひどい悪運はないだろう」

　これについてラッセルは1959年にこう記している。

「フレーゲはそれまで彼が生涯を捧げてきた試みを放棄してしまった。[……] 人生を賭けた仕事は失敗だったとその時に考えたようだ」

「私の場合は『プリンキピア・マテマティカ』を書き終わった後、私が発見したそれらの矛盾の解決策を断固として探すことに取り組み始めた。」

●不屈の男、ラッセルの「やり直し」

諦めることはバートランド・ラッセルの流儀ではなかった。実際、ラッセルが問題解決に取り組む決意の強さを説明するのに、その足跡はたくさんある。少なくとも、仮定が過剰に存在することが「ラッセルのパラドックス」の原因となっていたことことをつきとめるまではだ。あるいはさらに好みに応じて言えば、ラッセルが英国人で、三世の伯爵だったことを挙げてもよかろう。同時代の英国には同じように、一度始めたらちょっとやそっとでは諦めない人間たちが何人もいたのだ。その不屈さこそロバート・ファルコン・スコットを南極まで導いたものだった（彼はポニーに乗っていたが、帰還中、ロス棚氷で命を落とした）。あるいは、アーネスト・シャクルトンの場合は、帆船エンデュランス号の救命ボートに乗り込み、およその見当でエレファント島からサウスジョージアまで怒涛の嵐の中を進んだのだった。

さらにまた、ラッセルは絶対自由主義的な平和主義者でかつ社会主義者としての意見に合う、そして私たちの意向にも合うような旗のもとで振舞っていたため、1918年に六ヶ月間もの

間、投獄されもした。ラッセルはその思想のため、ここで書ききれないほどの多くの運動に参加した。例えば、ベトナム戦争における米軍の犯罪を訴える民衆法廷を自ら立ち上げ、議長にまでなった。その結果、彼はノーベル文学賞を受けるに至る。さらにまた、ラッセルの粘り強さの中に自分の生命力への揺るぎない信頼を見ることができる。四歳のラッセルの写真で見られるその微笑ましく賢明な眼差しや明らかな強情さは、子供に食べたくないものを食べさせてはいけないと、大人に同情させてしまうほどのものだ。またラッセルが八十歳になった時の演説もある。

「*私は最初の八十年間の人生を論理学と数学に捧げた。次の八十年間はまったく異なる仕事に捧げたいと思っている。*」

今、ここではすべての教養主義者的な相関関係について、それが政治的なものであれ、生理学的なものであれ、考慮しない。むしろ、それらの不足が交わる点において見える問題を、すぐ後で検討することになる。とにかく私は経験について、少なくとも半世紀後に書かれた回想録の中に残っているその跡について記すに留めたい。そのため、生き生きとした経験の密度こそ、そぎ落とされるだろうが、しかし、同時に記憶に明確に刻まれた部分だけがくっきりと残されるのである。年老いたラッセルが描く若かった時代のラッセルの感情に関しては、三点が特に印象的だ。

第一にラッセルの流儀として、自発的に難題に向き合ったこと。まさに言葉通り、難題と言えよう。論理学の諸規則の中に

予期せず「自分自身 = soi」が出てきたのだ。これら論理学の諸規則はアイデアをひらめかせたり、逆に押し付けたりするのだが、そこには定義自体についての無頓着さが存在していた。

パラドックスは「ほとんど個人的な挑戦のように思われた。そしてもし必要であれば残りの人生すべてをこの問題の解決に投じたことだろう。」

ラッセルは慎ましいながらも、この思いの特異さを認めていた。彼の言葉は訓練された筋金入りの性格が試練に直面する時に現れるものというよりも、むしろ、それぞれの分野を混ぜ合わせた1つの敗北に対する即興的な答えだった。ラッセルは落ち着きを装うように即座に自分自身の新たな主体性を創り出し、自分たちを馬鹿にするこのパラドックスを侮辱と考えた。こうしたことの方が、このパラドックスの発見が公理体系の障壁として聳え立ったり、本来、アリストテレスの論理学を完成させるはずだったところに不快な杭（何か邪魔するもの）を差し込んだり、さらに構築途上の完全な言語を中断したり、論理の規則自体を月曜日ごとに訪れる腐食性の行為にさらしたり、といったことよりもラッセルにとっては、はるかにマシだったのだ。

しかし、第二の点だが、手ひどい拒絶によって現れたこの自我が、何か特別な勢いを持って跳躍するとか、障害になっている問題を解決へと転換する力があるなどとは考えるべきではない、ということだ。ラッセルが回想で記している決断は、問題解決に至る跳躍よりは、むしろ我慢のような知的停滞に見える

のである。

　「二つの理由で非常に不快だった。一つ目は問題の取るに足らなさに打たれたのだった。そのような本質的に面白くない課題に集中すべきことが嫌だったのだ。二つ目はどのようなやり方を使っても私は（この課題を解くのに）進歩を見出せなかったことだった。」

　「不快」という形容詞の月並みさは、ホメロスからジョン・フォードまで、物語作者も吟遊詩人もいつも困惑の咳をしながら回避しようとしてきた真実を語るのに完璧に適している。つまり、直面する問題に取り組むことを引き受けたからといって、それらの問題がもっと面白くなるとは限らないし、さらに、魔法のように問題の解決法が見つかるとは限らない。壁に影が伸びていくように敵（問題）を際立たせたとしても、自分自身をそれよりもっと大きくするように叙情性を企ての中で増すことができるわけでもないのだ。別の言い方をするなら、もう一度やるという決意の後、実際に再びやることの凡庸さがあるということだ。再びやる＝reprise という言葉は努力とも裁縫仕事とも関係するものである。確かにそうなのだ。それは丘で息切れがするようなものである。あまり面白くない問題に関わりながら、それらの問題をいつか克服できるという保証もなく、その不確かさの中で作業を行うのである。あたかも針に糸を通して、それまで目に見える境目なしで思考の秩序と現実の秩序（パルメニデスの「思考と現実は同じもの」）を包み込んでいた、論理の法則の布にできたほころびを繕うような作業であり、全

体とかみ合う理論の一片を作り出し、網に開いた穴に当てる作業である。最初からいくら器用であったとしても穴に当てた継ぎが目立つことを知り、それしか見えなくなってしまうことを知りながらも、音楽のシャープ記号のような線形で、横糸と縦糸はずれていて、補修の跡が目を引いてしまうような作業である。

●「3月ウサギ」たちの逃走

しかしながら、いったいどこからそのような割に合わない任務に着手する力を得られるのだろうか？　ボタンを付け直す作業を行ったことがある人なら知っているだろう。まず針で縫った後にそれらの糸と糸を互いに結びつけるべきだということだ。その結び目は糸が穴から出るのを防ぐ。さらにとりわけ最初の一縫いの時、糸の先端を裏地にとどめ、固定した結び目から縫い針が何度も行ったり来たりできるようになる。回想録の中でラッセルが自分の名前をいずれ冠することになるパラドックス（逆説）に初めて直面した時についての語り草から、そのような結び目が想像できるような気がするのだ。文書は多少厚めに書かれており、その周りに問題解決がかろうじて巻き付くことや、少しずつ確かなものになっていく経緯がうかがえる。

「まさにそのような矛盾の発見が、それまで私が生きていた論理学とのハネムーンの季節を終わりにした。私はその不幸をホワイトヘッドにも伝えたが、彼は私に『幸せで自信のあった朝はもう二度と戻るまい』という言葉を送り返してきたのだ

が、その言葉は私をまったく慰めなかった。」

　友人のホワイトヘッドが引用したのは1845年に書かれた「失われたリーダー」と題する詩の抜粋で、詩人のロバート・ブラウニングが先輩格のワーズワースを非難したものだ。ワーズワースが若いころに抱いていた革命的な信念を放棄し、女王の前に跪き、読者たちが彼に期待していた知的斥候としての信頼を裏切ったからだった。この引用はラッセルを慰めなかったとしても、彼を微笑ませた可能性がある。少なくとも57年後にラッセルがこの詩句を憶えており、そして暗記していたその一節とともに、微笑みはこの回想録に漂っているのである。それはつまり、ホワイトヘッドが引用した詩句は、単に当時の事実を描写したことにとどまらなかったということだ。失われたものは二度と取り戻せない、ということなのだ。その悔恨を過去に引き離し得た時にだけ、未来の無さを克服することができる。結局のところ、解決が可能になるのはその決意をした時だけだということだ。こうした真実をホワイトヘッドは同時に詩的な言葉の可能性とエスプリの力とを用いて語ることができたのである。偉大な詩人の詩句をいたずらっ気とともにタイミングよく呼び覚ますことによって、科学上の出来事を、失恋や政治上の裏切りという色メガネを通して見つめることを可能にしたのである。つまり問題から距離を置き、違ったやり方で取り組むことだ。

　フレーゲ同様（そして、そのすぐ後から始まる初期のウィトゲンシュタイン同様）、ラッセルが取り組んだ課題、それは論理的な命題の秩序を漏れなく物の状態の秩序に合わせるという

ことであり、言語がそもそもその表す機能を越えようとする時は言葉にできない事柄や感情などの領域へと押しやることであった。それが端的に、神話も感情もない理性という純粋な散文を理想とすることであることを考えると、このようにたった一つの詩の引用やユーモアのある警句によって、この企てが綻びることを防ぐことができたこと、意志が薄れることや逃げることなどを防ぐことができたことには皮肉を感じることはできるだろう（この難題からたくさんの数学者が逃避してしまい、ラッセルは彼らを「不思議の国のアリス」に出てくる登場人物になぞらえた。彼らは「3月ウサギ」の使った解決法「もうたくさんだ。話題を変えよう」を踏襲したのだ。）。

しかし、理性と現実の関係を透明にしようとするこの企てに、詩やエスプリが馳せ参じて、ラッセルのパラドックスがこの関係を暗くしたところを明るく彩ったことも私たちは見てとるだろう。さらにパラドックスとは別な方法で、緻密に構築された諸言語の規則を緩め、パラドックスがあけた穴の底でダンスの一歩を踏み出そうとしたのだ。

それだけでは十分とは言えないだろう。だが、はじめの一歩ではある。

むしろ、やり直し、と言った方がよいだろう。

ではいかに、その試みを再び始めるか。

（訳注）
●バートランド・ラッセル（1872-1970）
著書に 1903 年に出版された「The Principles of Mathematics（数学の原理）」や「哲学入門」などがある。また 1910 年から刊行された「プリンキピア・マテマティカ（数学原理）」はホワイトヘッドとの共

著。1950年にその思想の歩みや多彩な著作群が評価され、ノーベル文学賞を受賞。

●ゴットロープ・フレーゲ（1848-1925）
1879年に「概念記法」を出版し、数学は論理に帰着しうると考え、論理学の新しい時代を切り開いた。しかし、「算術の基本法則」（第二巻）の刊行直前だった1902年にラッセルによって「パラドックス」の存在を指摘された。数学者で論理学者だったが、言語哲学や分析哲学の基礎を作った人物としても評価されている。

●アルフレッド・ノース・ホワイトヘッド（1861-1947）
1929年に出版された「過程と実在」などの著作があり、「有機体の哲学」と呼ばれる体系を築いた。

●ラッセルのパラドックス（逆説）
「ラッセルのパラドックスとは、自分自身を要素として含まない集合全体の集合 $R=\{x|x\notin x\}$ の存在から矛盾が導かれるという、素朴集合論におけるパラドックスである。いま $R\in R$ と仮定すると、Rの定義より $R\notin R$ となるから、これは不合理である。したがって $R\notin R$ である。ところがRの定義より $R\in R$ となるから、やはり不合理である」（ウィキペディアを参照）
自己言及のパラドックス（逆説）と呼ばれる。

2. 再生　Renaissance

●もう一度始めることは可能か？　形式主義をどう振り払うか？

　遊び心を持ちながら、私たちの問題にカント自身が基本的な問題群に対して与えていた外見を与えてみよう。一般的には、どうすればもう一度始めることは可能なのか？　もし可能だとしたら、この行動の特殊な湾曲に対して、どんな固有の条件や、限界、幻想などがつきまとうのだろう？

　こういう問いの立て方によって、まずは説教や勧告の口調といったものから逃れることができるだろう。というのも、始めることはしばしば慎み深いものであるが、再び始めるということは饒舌になりがちだからだ。再び始める、という企ての周りにはおびただしい言葉が群らがっている。それらの言葉は行動を試すというより、むしろ、企てを実行しやすくするためにある。ところが結果的には、行動の効果を和らげ、1回しかない出来事をそれ以前と同じリズムの中に組み込んでしまうという逆説的な結果につながるのだ。船乗りたちや、徒刑囚、ボーイスカウトなどの歌はそのためにある。1つの足をもう1つの足の前に踏み出して、それをまた繰り返すこと。現代の儀式においても同様である。集会や総会、政党の会議などの場で、学校や国家あるいは社会党などを再構築しようとしたり、地方の行動を再活性化しようとしたり、制度を国民や時代に合わせることによって鍛え直したりしようとする時、それらのおびただしい言葉が用いられるのだ。このようなものものしい会議の原則的な狙いは、これからやりたいこと、及びもう二度とやられたくないことをみんなで口を揃えて言葉に出すことであり、もう一度、展望とやり甲斐を見つけることであるが、成功できるか

どうかは運が良くても未知数なのである。

ロンサールが叙事詩「ラ・フランシアード」でトロイの「再建」を夢見ていた時代と比べると、再構築の企てはあまりにも増えすぎて、多少なりとも新鮮さを失ってしまった。仕事を考え直すことならまだ許せるが、テレビにおいては日々、パティシエたちまでもがミルフィーユの作り直しに取り組み、パリ・ブレストに再び魔法を感じさせようと宣言するのだ。この傾向が続けば、いずれは料理番組の参加者に、グラタン・ドーフィノワの「再構築」をさせるのではないかと、不安になるほどだ。

もう少し嫌みのない言い方をするなら、今日、再構築について用いられている言葉にある種のリスクが含まれているということである。それが本来、人々を勇気づけたいはずなのに逆に人々を苦しめているとすれば、そのわけは問題に立ち向かい、検討するより、その「外見」を優先するからなのだ。本来なら、ある政治状況や現実の様々な状況の中で、試みがうまくいかないのはなぜか、なぜ約束されている当初の復元ができないのか、なぜ昔の時間の取り方にそのまま戻れないのか、なぜ新たに時代を画すことができないのか、といったことを理解すべきであるにも関わらず、逆に、儀式を作り上げた有能な創設者に頼りかかることになるのである。おそらく、創立的な起源を求め続けることに含まれている最も危険なことは、その探究の誠実さにもかかわらず、常にもったいぶった形式主義を呼び覚ましてしまうリスクがあるということなのだ。形式主義は、せっかく躍動を始めたばかりの小さな息吹を、格式ばった気どりの中で溺れさせ、規則や手続きの過剰さの中で打ち砕いてしまう。そのように死が生を縛り、集団は自ら課した規則の束に

よって道を見失ってしまう。^(原注1)作家が決まり事を仕事机の上に置き、そちらの方の仕事が忙しくなり、作家が書く暇を奪い取ってしまう。儀式を守れば書かなくても良く、まったくもって執筆は禁じられてしまうのだ。

　再び始めることに関して、励ますことが最初に頭に思い浮かぶべきではない（ただし、ホワイトヘッドがラッセルに示したような微笑ましく、詩的で、比喩的な方法の場合は別だが）。しかし、形式主義の誘惑に打ち克つことが難しいのは（例えば白いページを前にして緊張を解くための一本目のタバコのように）かえって問題はまさに形式上のことであり、むしろ、純粋な形式にあるということであるからだ。別の言い方をすれば、問題はその対象が何であっても「再び始める」という概念自身の中に含まれているということにある。このことはすぐにはわからない。形式が濃密で、刺々しく入り組んだ感情の中に最初に現れ、私たちがいかにそれで支障をきたすかということを説明するだけでいいだろう。というのも、再び始めようとする人にとって一番難しい問題は何だろう。失意や欲求不満や倦怠を克服するということなのか？　あと少しでできたはずだったという確信と、それに混じり合う、最初から結果は決まっていたのだ、という気持ちなのか？　目の前にいる仲間たちへの苦み、あるいは敵に対する恨みと敵が勝利するのを見ることによる憤激なのか、このいずれかを見極める困難さなのか？　失敗した企てを信じた人たちを慰めなくてはならない悲しさなのか、さらに彼らから失われた信頼を再び取り戻す難しさ？　失敗を生んだ些細なことの、悲惨で生々しい記憶のなかへと常に戻っていく全体の不運を前にした時の陰鬱な嫌悪感なのか？

失敗の些細な原因自体が、後から振り返ってみると明白な無数の手がかりへとつながっていくようなやり方で、かつて現れた無数の前兆が後になってみるとあまりに多くのことを暴露するため、当時、それらを無視したことが失敗それ自体よりもいっそう許しがたいものになるのか？　まだ新鮮である希望の足跡は、失敗したことすら忘れがちで、幻肢のようにあてもなく蹴り、叱られるのだろうか。

●始まりは一度しかない

　道に迷う十分な理由がある。しかし、再び始める試みや継ぎ足す試み、あるいは回復する試みなどすべての試みの中に、構造的な、あるいは論理的な難しさを含んでいるからこそ、その感情的な骨組みは非常に緊密になっている。このことを理解するには、ロバート・ブラウニングの警告「幸せで自信に満ちた朝はもう来ない」が、本当は何を意味しているかを自問してみよう。というのは、詩人に言われるまでもなく、明白そのものだが、一日には夜明けは一回しかないのだ。つまり、始まりは一連の出来事の中に位置を占め、おのずと他の要素と異なるものであり、それらの始まりとして定義される。だが、それはそれらの始まりとして参照され、またはその始まりから（物事が）生じる限りであり、そしてまた、その始まりがもっと前の時やもっと根本的な時にずらされない限りである。従って、ある一連の出来事において始まりは一回しかないことは明白になる。勿論それ以外にも朝がないことを意味するわけではない。他の一連の出来事が同時にあったり、後で続いたりすることがない

ことはなく、並立してそれぞれの始まりはあるのだ。(すべて
の物語にそれぞれの始まりというものがある。印象派は「印象、
日の出」とともに始まるし、ムルナウのアメリカ時代は映画
「サンライズ」とともに始まる、などなど)。もう少し議論を進
めるなら、出来事の継起は一つの時系列の流れの中に位置づけ
られることが認められ、その背景になる大きな一連のプロセス
の中で、それぞれの始まりは相対的になる。毎日毎日が続く中
で、幸せな朝も不幸せな朝もあり、止まることなく世界の時間
が流れる。そのために歴史家たちは正確にものごとが始まった
のがいつで、終わったのがいつかを決めることにいつも苦労し
ている。

　要するに始まりと言うものは、異なる一連の出来事につな
がっているなら、同じ時間軸の中に複数ありえるが、それぞれ
の連続性においては毎回一度しかないのだ。しかしながら、ブ
ラウニングが「……一度しかない」という警告を出す必要を感
じたのは、毎回、再び始めるという試みが慎ましくも、「始ま
りは一度しかない」という法則を乗り越えようとしているから
なのだ。そして幕を閉じたばかりの一連の出来事に新たな一連
の出来事をつなげようとし、その新たな出来事は、ただ後に続
くだけでなく、その前のものと同じ野心を持ちながら進行を正
すという狙いを持っているからである。その二つの経験あるい
は二つの企ては、時間軸に於いては続くものでありながら、形
成上では異なり、性質的には同じものになる。そうした繋がる
ところで、再び始めるという行動は矛盾しあうものを一緒にす
ることになる。前に起きた出来事に何か借りるということはな
い。というのも借りたことがあれば、「始まり」とは言えなく

なるからだ。しかし、再び始めるということは、前の企てをもう一度、始めようとすることだし、それを成し遂げ、乗り越えようとすることだから、その前の経験に対して自分を定義すべきなのである。あるいはまた、前の企てとは全く異なると言えるような一連の行動を開発しながら、そこには前回失敗し、放棄され、絞られた同じ熱望が見られ、今度こそは、途中でめげずに、成功することが期待されるということである。すべてを新たに始め、そして全てをもう一度呼び覚ます。ここまで難しい表現を編んできたが、フランス語はこのようなことを「新たな時（une nouvelle fois）」と一言で言う。それは謎めいた表現である。というのも、別の前の時を前提にしながら、新たなことだと主張し、自分がその中に位置づけられる一連の出来事の上に張り出し、二度と戻れない前の試みには一致せずに合図をするのだ。私の感覚としては、その「ねじれ」が原因として、先ほど描いた激しい苛立ちから現れる症状が増殖する。しかし、そのことはまた、新たなことに取り組むとき、私たちの障壁となるものが私たちの疲労や失意だけでないということをも同時に意味する。不満を示すことを止めて、分別ある態度だけでは、やり直すためには不十分だ。その至上命令に私たちが向き合うことを強いられ、改めて、新たな任務を果たすべき時、感情面における障壁はおそらく、理性それ自体が軽くではあるが動揺していることを示していることだろう。

　私がオーバーなことを言っていると指摘されるだろう。再び始めることは、それ自体について考えることなしに、ただそのリズムを打ち、それを世界に与えることがあると言われるだろう。（海よ、海よ、いつも再び始まる……）あるいは、定期的

に新しくなり、それ自体をおおげさにしない。例えば新ジャガイモ……。不幸は私たち人間が、海の広がりもイモの天賦才能も持たないことだ。

　しかしながら、ここで私たちは焦点を絞って、再び始めることのパラドックスが、その鋭く特徴的な形が見られるように、私たちの行動の範囲を狭めた方がいいだろう。現在において考えれば政治に目を向けることが望ましい。政治においては他のどの分野よりも、何かやり直さないといけないことがある、という感じがある（何かが失敗したという認識を持つことと、失敗の規模を見定めることが前提となる）。一方、この感覚を隠す方法もたくさんあるのだ。上手に話題を変えるやり方（ラッセルが「3月ウサギ」にたとえた）から、負けを認めない一方的な否認まで。それはモンティ・パイソンの映画「聖杯！」で黒い騎士が取った態度の、記憶に残す戦略。彼は片足で跳ねながらも間近な勝利を主張し、情けなく手足は切断されても大胆不敵さを失わず、決闘はせいぜい「引き分け」だと言うのである。

●政治の語源には「始める」という意味があった──ハンナ・アレント──

　このような悪あがきや、それが忘れさせようとする面倒なことは、新しいことではないだろう。それらが暴露する、政治の秩序と再び始める苦しみとの関係は決して今日のものではない。ここで、ハンナ・アレントが「近代人の条件」^(訳注)の中で熱心に人間の活動を3つの秩序に分類した作業が思い出される。アレントは現代が無理やりごちゃまぜにしてしまった3つの秩序

を分け、それぞれに、最適の表現を取り戻し、さらには時代の経験の多面性の一つを当てはめてみた。アレントは、行動することは日々のパンを得るためのものでもありえると言っていた。仕事は労働という固有の活動であり、日常的で死活に関わる無限に繰り返される消費と欲望のサイクルに沿ったものである。行動することは、また、長く残るものを作ることでもあり得る。あるいはその前に作られたものとは異なる作品を創作することでもあり得る。それは日々の消費の中に埋もれることなく、使用によって消えていくものではなく、長く持続する世界の構築に貢献するもの。たとえば自分の後に残る家や忘れられることがない絵画など。だが、仕事が再び行われ、作品が持続したとしても、そこでは時間の第三の次元が欠落しているのだ。それは新しいものの出現、その自発性である。それがなかったら、「*私には何も起きません* (nothing ever happens to me) *というような出来事の流れは、耐え難く、退屈で、意味なし、である*」それゆえ、予想されないその脈動に〜脈動がなければそもそも時間がたつこともないのだが〜人間の活動の中に位置をつける必要がある。アレントはそれを文字通りの "action"（活動）と名付けた。その実践の場所、個々人が他者と向き合って交わりながら新しいことを行う能力を実現する集まりを定める必要がある。この集まりは、政治的判断を行う場であり、工場が労働の場であると同様に、芸術家や職人にとってのアトリエと同様に、アゴラは action（活動）の場所になる。従って、政治の秩序が特異なものであることと、市民を単なる経済的な主体に限らないことがアレントの言葉から推論できる。もし政治の場がなかったなら、人は本来、新しいことを始めることが

できるにも関わらず、そのための場所がないことになってしまう。

　「人間が*action*（活動）できるということは予期されていないものを人から期待できるということであり、人間はほとんどありそうにないことを成し遂げることができるということである」

　言い換えると、フランス革命が長い間、「grand soir」（※直訳すれば、大いなる夕べ）のうちに夢見られていたとしたら、アレントの考える政治はむしろ「朝の行事」なのだ。

　ここでは再び始めることが問題になっているのではなく、始めることだけが問われている。しかし、アレントの「思考の日記」には、自発的ではじけるような新しい政治行動が行われ、魔法的な出現で古い体制を一気にひっくり返し、利益の計算や道徳規則を乗り越えることができる、というような安易なイメージには納まらない注釈があるのだ。たとえばアレントはギリシアの政治におけるキーワードである "arkhein" という言葉を度々取り上げ、この言葉が「統治する」という意味だけでなく、「始める」という意味も持っていたことを強調する。それは政治が、そのアテネ時代の黎明期から自発的な行動だったという証拠になる。だが、この語源学的な論拠に関して、早い時期から「統治する」という意味だけになり、気がかりな「始める」という意味は追い出されたのだとアレントは書き足している。統治者たちは自分たちが統治する権利を持っている理由が、統治という発想を他の人々より先に持っていたからに過ぎ

ないことを、絶対に人々に思い出されたくなかったのだ。むしろ、統治の権威は時を超えた、永遠の原則に基づくものだという考えのもとに、彼らは自分たちの権威を守ろうとした。従ってプラトンの「法律」においても、すでに「統治の概念から企てるという要素が完全に失われた」と記されている。言い換えれば、政治の本質が本来「始める」ということであるなら、同時に最初からその起源の真実は忘れ去られていたのである。その真実は権力の歴史が闇に葬ったものであり、むしろその秘密は再び掘り出され、再び提起され、再び活用されなくてはならない。

　また、一方で、政治活動というものがいくら噴き上がるようものであっても、何かへの答えや反応、こだまであることは間違いがない。アレントはこれを「第二の誕生」として「その中にこそ、私たち人間の現実的な現れという生の事実を確かめ、認めることになる」と書いた。「第二の誕生」という表現の中で、その力点は「誕生」という言葉にある。始めるという私たちの天命を、私たちが生まれるという事実に根付かせるのであり、まさに聖アウグスティヌス^{（訳注）}の美しい言葉に通じることである。その言葉とは「始まりを作るために人間が創られた」というものだ。この言葉はそのページの中に何度も出てくる。ヘンデルの「ハレルヤ」も同じことを言っている。子供が生まれた、そしてこう言う。

　「それぞれの新たな誕生が世界への救いの約束であり、すでに始まりではなくなったものに対して、救済を保証するようなものである」

なぜいつも若者の側に立つことに意義があるのか、これ以上にうまく表現することはできまい。しかしアレントはメシア（救世主）信仰的な口調で、たとえそれがaction＝活動の中で再び取り組まれ、裏付けられ、担わされても（その活動は途方もなくても、あるいは英雄的であっても）、政治における誕生とは必ず二回目のものに他ならないということを思い出させた。その政治の誕生は幼い時代から年齢的に離れた人によって支えられるものであり、彼らはもう始まりではなく、救済を必要とする人である。ニーチェが言うように遅れてきた市民はもう十分大人である。彼らにとっては最初の日々を思い出そうとすることと、もう一度生まれる野望とは、確かに可能性であるがそれと同時に、問題でもある。

　私たちの予想外への能力とか驚きの可能性に対する賞賛である、アレントのそれらのテキストには奇妙な憂いがただよっているように感じられる。というのは政治行動の出現は毎回初めてのことであるようなイメージであり、未来への約束が弓矢のように飛んでいくイメージは、おそらく過去を振り返る時しか現れないものだろうし、人が自分の肩越しに過ぎ去った過去を考え、現在の瞬間から距離を置く時に現れることだろう。行動すべき時はすべてがもう一度やり直すべきその時であろう。第一にアレントはそれを一般的な法則として置く。歴史において、物事がまさに始まる瞬間を知ることはできない。ある時は、今日が昨日との違いを積み上げていく様子が見えず、前とそのままに入ると想像し、単純な継承者であると思い描く。また、ある時は、波に足を取られて泥濘を歩いているのに稜線の上にいると思い込んでいるのだ。まだ道が長いのに気がつかず、そ

の幸せなる無知に浸っていて、もうこれから変わらないだろうという確信を持っている。別の言葉で表現すれば、最初の兆しに過ぎないことを認識するために、もう一度始める必要があるのだ。

「それぞれの出来事は歴史の中で、ひとつの始まりの終わりとして表われ、その始まり自体はそれまであったにしても引っ込んでいたのだ。始まりを表すためには、新しい出来事が必要である」

たとえば、権利のための新しい戦いは、これまで成し遂げられていた進歩が乗り越えられないと思われていたものが、まだどんなに些細なものであったかを見せてくれるのだ。絶頂と思われていたものが単なる始まりに過ぎないことを認識するためには新しい波が必要なのであり、そして、その波自体も自分のことが見えないことになる（ヌーヴェルヴァーグ＝新しい波、そして別の波、と、昔ジャン＝リュク・ゴダールがふざけて言った）。新しいものが古いものに未熟だったことを見せるのだ。

●すべては始めなくてはならない

歴史意識が階段を上っていくような精神を持つことはあまり重大ではない。各時代はその前の時代が未完成であったことを明るみに出す。アレントはその点に、歴史が発展する法則すら見てとる。だが、アレント自身が遡って思考し、現代の考えが

消耗されてしまったことに対して、逆に古代のプラトンやアウグスティヌスらの概念が持つ新しさを持ち出し、古代ローマ人やキリスト教信者たちや古代ギリシア人を復活させる時、どうなるのだろうか。進歩は問題にされず、問われているのはまさに意図的なアナクロニズムと、乱暴な時代同士の衝突により現代政治を茫然自失から引き起こすことである。アレントの「近代人の条件」においては、アゴラでの経験は、そこに帰ればいつでもくみ取ることができる源泉として描かれているわけではない。むしろ、アゴラはそれを極限に追いやった近代性への反証として提案されているのだ。その経済至上主義は私たちの活動の全てを侵略し、アゴラのことを考えることさえ許さず、生産性の復興が人類の唯一の解放であるとし、生産的ではないaction（活動）の痕跡まで抹消するに至るからである。言い換えるなら、古代ギリシアの経験がここで呼び起こされるのは、もう一度それを始めたり、復活したりするためではなく、むしろそれが私たちには実践不可能になっているからこそである。古代ギリシアの経験は再び始めることが不可能であるがゆえにこそ、私たちには難しいけれど私たちを再び創造する必要があると証言するのだ。この再び創造することについては、古代のテキストに向き合えば、過去に描かれた形式からはいかなるものも借用することができないということだけがわかる。現代産業の支配によって過去の形式はすたれてしまったのだ。古代世界の型を私たちは壊してしまったのである。そして、それらの破片が消えていく時、その喪失を確認できた瞬間には究極の教訓が伝わる。それは、すべては始めなくてはならない、ということである。

原注1　この錯乱のリスクについては、外野席から判断しないようにしたい。パトリス・マニグリエの「Les Temps Modernes」（No.691）の「『立ち上がる夜』が意味したものは？」を参照してください。

（訳注）
●ハンナ・アレント（1906-1975）
哲学者・思想家。ドイツで生まれ育つが、ユダヤ人だったためナチスから逃れ、フランスを経由して渡米した。ハンナ・アーレントと表記されることも多い。「存在と時間」で知られるマルティン・ハイデッガーの薫陶を受けた後、カール・ヤスパースの指導も受けた。博士論文は「アウグスティヌスの愛の概念」。1951年に「全体主義の起源」を出版。元親衛隊将校アドルフ・アイヒマンの裁判を傍聴した後、「エルサレムのアイヒマン」を1963年にニューヨーカー誌に掲載した。

●聖アウグスティヌス（354-430）
古代のキリスト教神学者、哲学者。ラテン語で著述を行ったため、ラテン教父の一人とされる。当時、ローマ帝国では313年のミラノ勅令でキリスト教が公認されたのち、392年にはキリスト教は国教となった。アウグスティヌスは北アフリカ（今のアルジェリア）で生まれ、マニ教を経て、キリスト教に帰依し、ヒッポ（現在のアルジェリアのアンナバ）で司教となった。著書に「告白」や「神の国」などがある。人間の自由意志も論じており、キリスト教のみならず、西洋思想に大きな影響を与えた。

3. 初期段階　Balbutiements

●始める、ということ

　活発への讃辞が途中で、くすんだ喪の色調に染まるのはハンナ・アレント一人だけではない。実際、私たちは多少なりともそのような理論的な雰囲気の中で呼吸することに慣れてきて、清涼さに夢中になった思考に囲まれているうちに、注意を怠ると、私たちは骨まで凍ってしまいそうだ。夜明けの澄んだ明るさのような純粋な始まりに対する賞賛には、すぐに「もう遅すぎる」という思いが影のように続く。約束された飛躍のチャンスを諦めることもできず、生み出されたノスタルジーを払いのけることもできず、結局、「もう遅すぎる」という思いに新鮮だった息吹を表現させ、海への誘惑を憂愁へと替えてしまうのだ。様々な可能性が幼い時代自体とともに過ぎ去ってしまったが、可能性がどの程度実現しなかったかを測ってみると、現在はあまりにも行き詰まっているように見え、対置されるものとして、輝いていて、同時に顔のない他者というものを探す。

　たとえば、エドガー・アラン・ポーの小説で、天使たちのコーラスがカラスの翼に乗って高く上り、カラスの鳴き声で「ネヴァーモアー（もう二度とない）」と歌っていたように。ヴァルター・ベンヤミンからジョルジュ・アガンベン、そして、いくつかのミシェル・フーコーの書物まで、複雑ないくつもの系譜をたどれば（と言っても、私はここでそれを放棄するが）それらは、現代哲学の一部に、破局について考察させ、破局を変容させてきたことが見えてくる。とはいえ、救世主待望思想と悲嘆との間のように、先の見えない希望と取り返しがつかないという確信の間で、羅針盤もなく航海している私たちは時間を

長く感じてしまうのだ。

　確かに、悟りの方法を探すことは愚かしいとわかるし、生まれつつある政治のロードマップを求めるのもベニスでゴンドラの時刻表を求めるのと同じように愚かしい。しかし、現在が行き詰まっているという明細計算に対して、常にまだ誰も想像していない何かが起きうる可能性を対置しようとする態度には魅力を感じ、作業の途中で疲れている時、へとへとでも立ち止まり、もう一度やってみようと思わせるのだ。これらのページにおける私の切望を一言で述べるなら「努力している人々への一言」となるかもしれない。何であれもう一度始めようとする人たち、今回が最初の試みではないとよく知りつつ、さらには何度もやり直す必要があろうと知りながら、もう一度試そうとする人たちの経験を注意深く見つめることで多分、彼らの苦境や恐怖を見抜くに至るだろう。そうすることで私たちが繰り返し行う企てにまつわる葛藤の地図を描き、それらを耐えたり、乗り越えたりするために私たちが作り上げた小さな行動倫理をまとめることができるかも知れない。とにかく、一つのことだけが確かだ。それは、再び始めることはいろんな点から困難だということである。誰であれ二度目のチャンスに賭けたことのある人は知っているように、抽象的な矛盾ではなく「nouvelle fois（新たな回）」というものが含むパラドックスが初めから終わりまで私たちの行動に実際につきまとうのだ。私たちが続けようとするとすぐにそれらも続くのである。

　非常に単純な注意事項から始めよう。たとえば「再び始める」（recommencer）という動詞の中の re ＝再という接頭辞には「反復」という意味だけでなく、距離を置くという意味合いに由来

する「反省」という意味もあることだ。ところが、よく見ると、その反復と反省の違いは一見思われるものよりは強くはない。というのも言い換えれば、すべての本当の始まりは、実は即時的なものではなく、最初のためらいから脱出したことを前提にしていると言えるだろう。たとえば、優れた冒険小説が読者を最初に導入するのがアクションの真っただ中だとしたら〜in medias res（※編集部注：物語を中途から語り始める文学・芸術の技法）〜その理由は真に大切なことが最初の起点で始まるのは稀だからだ。だから現代小説は話が進行してから最初の起点に遡ることを専門にしている、とすら言える。そうすることで、劇場に例えれば観客に演劇が始まる合図（開幕前に杖で3回音を打ち鳴らす）を聞く喜びを与えるのだ。ハリウッド映画の場合は、*prequel*（編集者注：前編あるいは過去を描く続編）という前編は観客に、主人公の最初の歩みを追わせるだけではなく、その前の行動も見せるもので、映画の前の映画である（たとえば、バットマンになる前の若いブルース・ウェインに出会うことであり、モリエールになる前のジャンバチスト・ポクラン、あるいは「イン・ラブ」のシェイクスピアらに出会うことである）。

●始めることと、第一歩を踏み出すこと

　従って再び始めることと始めることを区別するだけでなく、さらに始めることと第一歩を踏み出すこととの違いも区別する必要があるだろう。なぜなら「第一歩を踏み出す」（デビューテー）という動詞は、実践における最初の時期だけを表す言葉

だから。もっと正確に言うなら、「デビュー」（※編集部注：デビュテーの名詞形）が「始めること」と異なるのは、「デビュー」ではその主体がまだ世界における行為を自分自身でコントロールできないため、未来への目的に向かって進んでいく、と言うことはできないのである。厳密に言えば、本当の始まりは一連の出来事に続くものであるから、デビューする人はまだそこまで行っていないということだ。確かに、その人の不器用で情熱のある動きには反響があるが、それらはやみくもに、あらゆる方向に現れる。それらの反響は自身に返ってくる。それに反応しようとする場合、時々の場当たり的な反応になり、そこから実際起きうることを想像して見通しを立てることはできないのだ。その結果、彼の行動は、次に行う行動と有機的な関係を持つことができない。それぞれの動きが生んだ結果に跳ね返り、前後の脈絡から切り離され、あるときは左に、あるときは右へと向かう。すべての分野での最初の歩みが滑稽になりやすいのは、初心者がしようとする一連の続きと、実際に起きてしまう一連の出来事の続きとの間に隔たりができるからだ。彼らは現実の壁にぶつかり、予定していた続きがバラバラにされ、その隔たりの中に落ちてしまうのである。新人はつなぐことができない。新人は様々な事物の悪意に立ち向かい、気が散らされる。たとえば「ファンタジア」の中でのミッキー・マウスが箒やバケツの大竜巻に翻弄されるようなものであり、あなたが自動車教習所で最初に直面するレッスン（ブレーキ、アクセル、エンスト、再発進などなど）でもあろう。

●デカルトの「最初の瞑想」までの長い時間

　「始まり」にたどり着くまでには長い間、「デビュー」の期間を過ごす必要がある。最も有名な哲学史上の書き出しの文章がデカルトの「省察」の第一省察^(訳注)だが、すでにずいぶん経ってから～「*in extremis（瀬戸際になって）*」～その思索を始めたのである。デカルトが「根本から新たに始める」決意をした理由は、子供時代からたくさんの観念を習得したものの（デカルトの本を読んで、その計算をしてみてください）、それらの知識が真実かどうか確かめたことはなかったからだった。そして彼は年を重ねながら、それらがもとになったもろい土壌の上に自分の知識体系を築いていった。その後、彼はその建造物が実際には不確かな知識に支えられ、どのくらい脆弱なものかに気づいたのだった。そこで、それを修復しようと決意した。さらにデカルトはその修復作業に最も相応しい時期が訪れるのを待った。後に、彼は最終的に企てを実行するためにもっと時間を引き延ばしたら、その能力を失ってしまうのではないかと心配になったのだ。デカルト、あるいは時間ぎりぎりの最初の省察。しかしそこでも、再び始める決断には重い脅威がのしかかっていた。彼の不安は次のようなものだ。もし、すでに一度、それまでの自分自身と別れなくてはならなくて、また自分に立ち返り、そして自分の思索を頼りに未来を描き、もうそれ以上たどたどしく振舞わないように努めなければならないのなら　──つまりもっと端的に言えば、もしすべての第一回目自体がそもそも遅咲きのもので、その前の状況やあらゆる前提となるものから身を引き離し、その断絶なしには進められないものである

なら、「もう一度始める」という行為はただ反復の反復になりかねない。そのようなすでに行ったシーンの繰り返しは未来への信頼を侵食するものになりうるのではないか。というのは、デビュー時代の未熟さから自分が未だ切れていないのではないかという疑問を呼び起こすからである。もう自分は新人ではない、と考えて安心する人は、若かった時にすでにそんな風に自分に言い聞かせ、信じたことがあったのを思い出してすぐに不安になる。新人の不安はデビュー時に突発するだけで、時間とともになくなるということは、残念ながら、事実とは言えないだろう。

●チェーザレ・パヴェーゼの苦しみ

この不安に関しては、1935年から1950年まで、自殺の数日前まで書き続けられた作家、チェーザレ・パヴェーゼの日記^(訳注)における心を引き裂かれるような証言と詳しい自己分析ほどのものはおそらく他にないのではなかろうか。それは死後に「生きる仕事」という、作家自身が決めた題として出版された日記だ。タイトルが含む形容矛盾（編集部注：撞着語法＝矛盾する内容の語句を組み合わせる語法とも言える）、つまり、生きることの自発性と職業が前提とする拘束やノウハウとの間で引き起こされる緊張は、まずもって、一方でチェーザレの人生、もう一方でパヴェーゼの執筆作業、という二つの面に分けることで解決されるかに見える。

テキストの中で交互に出てくるのは、熱狂的な性的欲求や、病的な嫉妬、捨てられる恐怖、暗い妄想などに囚われている生

活の嵐と、書く技術に関する落ち着いたメモ書きや文学に関する日誌である。後者は、たとえばシェイクスピアやレオパルディに関するメモ書きや自分が書いた詩に関する批評などだ。職業がそこにあり、生きることもそこにあるようにだ。だが、読者はこの二つのシリーズそれぞれを読んでいくと、同じ悩みが一貫して両方を通っていることがわかるだろう。つまり、新人であることが終わる日が来るということだ。それが解放になるのか、あるいは取り返しのつかない喪失になるかという心配である。

　たとえば、1935 年 10 月 1 日の日記を読んでみよう。

　「*いろんなことの中で芸術家にとってもっとも耐えがたいことだと私に思えるものは、もうデビューの時ではないと感じることだ*」

　しかし、1937 年のクリスマスに書かれたものはこうだ。

　「*年を取るよりももっと悲しいことがある。それは子供であり続けることだ*」

　これらふたつの文は完全に矛盾する。しかし、最初の文は詩に関する限りもう新人ではないという不安を表明しているのだ。また、それは人生の中でも新人であることが詩的な跳躍を促したり、再生させたりする限りにおいて当てはまる（「*世界においてまたとない喜びは何かを始めることである*」）。しかしながら、もう一つの方は、人生において出発点に立ち返ること

しかできない、という激しい不安である。いかなる文学的な昇華であっても、その不安から人を救い出すには十分ではないのである。

　言い換えれば、作家は初期段階に憧れ、いつまでも新鮮ではいられない人生の流れにより、その初期から引き離されていくのを恐れる。一方、人間はその初期から逃げたく、その罠にはまってしまうことを恐れるのである。チェーザレ・パヴェーゼにとっては、誤った出発に対する恐れ以上に彼を苦しませるものはないようだ。1944 年 3 月 8 日に、「生きる仕事」の中の最も美しい二行は彼のその苦しみから生まれた。

　「丘の前で期待は閉じ込められる
　　二回目はもう訪れている」

　実際には丘は、二つの対照的な城壁が彼の周りに立っているようだ。一つは過去であり、一つは未来である。振り返ってみたとき彼を苦しめたものは、手堅くかつ断固として始めたつもりだったがその実際の始まりは、たどたどしく、盲目だったということだ。

　「なぜ、そこまで心配するのか？　1929 年に戻った」

　このように彼は綴っているが、それは 1936 年の事である。そして、こう反省するのだ。

　「怠惰な詩を作り上げ、働くことができないことに苦しむ。

人生の途中で孤独で、かつ恥じている。さまよい、公衆の見世物に憤る。何が足りないのか？　七年は水に流れたのだろうか？」

　この決算において、新たに出発するすべての試みが最初の混乱を繰り返すだけになるという作家の確信から彼を妨げるものは何ひとつもない。どんなに言葉を費やしたところで、経験は役に立たない。いかなる「今後は」も彼のふらつきや駆け出しの不注意に対して、何ら確かなものにしてくれない。

　「ひどいことは、今僕に残されているものでは僕を手直しするのに十分ではないということだ。というのも［……］すでに過去の中に同じ状態に置かれたことがあり、その時、すでに僕はいかなる道徳的な救済も見つけることができなかったのだ。今回もまた、僕は自分を強くすることはできないだろう。そのことは明らかだ。」

　試行錯誤によって人生を学ぶことはできると信じるのは古代ギリシアの物理学者以来、哲学者たちだけだ。そうであれば、それぞれの試みが、たとえいかに凡庸であろうとも、最初の準備不足の試みに対して仕切りを作っている、ということを前提としていると言えよう。それに対して、パヴェーゼは、まるで落ち込んだ新人の叫び同然の、苦い問いを出す。

　「なぜ人は間違った時に『次の機会には、どうやるべきかわかる』と言うのか、そうじゃくて『次の機会には、僕はどうや

るかわかっている』と言うべきなのに」

　パヴェーゼが「生きる仕事」と名付けるものの一部は、疑い
なく、長い年月をかけてずっと彼が引きずってきた傷と和解す
ることにある。それは二つの恐れである。すでに詩を書くには
老い過ぎてしまったということと、生きるにはいつまでも未熟
すぎることだ。日記のページを読んでいくと、彼が熱心に折り
合いをつけようとしながらも、それに彼が満足できなかったこ
とがわかってくる。

　作家としてのパヴェーゼは逆境にくじけまいとし、新人時代
からは離れこそしたが、そこから得られた状況を文学の糧にす
ることで自分を慰める。無邪気から離れなくては、美学の面で
多産になれない。次に、幼年時代は詩的であるという考えは成
熟してからでないと私たちには訪れない。そもそも文学それ自
体の使命は「時間に意味を与え」「一定の時間枠に事件を設定
し」、物語に「１つの構成、１つの論理、１つの始まりと１つの
終点」を与えることではないだろうか？　従って、前進し、建
設し、後悔しないようにしなくてはならない。チェーザレは、
一方で、人生において、確信はあまりなかったが、自身の未熟
さを快楽主義的な道徳や行動原則に変えたりする。

　「*他人とは～現れたただ一人だけでも～いつも私たちはその
瞬間に始めたかのように、そしてすぐ後の瞬間には終えなくて
はならないかのように生きなくてはならないのだ。*」

　要約すれば、書くことは長く続くということであり、一方、

生きることは瞬間瞬間のことを楽しむことだ。誠実に言えば、この分け方に関して、パヴェーゼ自身が信じていないことを十分に感じ取ることができる。とくに、次のようなことを書いているのを読む時だ。

「子供であることは美しくない。年老いて、子供だった頃に思いを馳せるのが美しいのだ。」

この文の前半の部分では、子供っぽさへの恐怖が垣間見え、次に続くそれへの慰めはその恐怖を打ち消すのに十分とは言えない(原注1)。皮肉にも、実人生の中で幼児に留まることは、文学が望むいかなる若々しい経験ももたらしはしない。子供っぽさは新しさではないのだ。むしろ、書かれる各行は自らのうちにこもり、人生の方で経験したものはどんな形であれ離陸することの不可能性をくどくど繰り返す。執筆は生き生きとした源泉から切り離された技術を得ることで、むしろ干からびていくのだ。意識は、狂った振動にとらえられ、チェーザレは失敗したことで自分を責め、パヴェーゼは単なるペテン師に過ぎないと自分を責めた。日記の最後のページのあたりで、これらふたつの自責の念が致死的に結合する。

(「十年の間に僕はあらゆることをした。その時期のためらいについて考えるとき。僕の人生の中では、あの時期よりももっと絶望し、もっと困惑している。いったい僕は何を作ったのか? 何一つない。」)

そして、もしチェーザレ・パヴェーゼが自殺を選ぶとすれば、彼が死を求める唯一の理由を、十二年前に彼が強調していた理由に求めることは不可能ではないかもしれない。それは死においては新人であるというリスクはないことである。

　「*死というものが私たちに訪れる時、その経験を前に皆新人であることは真実ではない（モンテーニュ）。生まれる前は、僕らは皆、死んでいたのだから。*」

原注１　パヴェーゼの幼児への恐怖と甚だしい女性嫌悪とに関係があることは明らかなようだ。大人になっていないという欠落感がパヴェーゼに女性への探求心を駆り立てたと同時に、恐怖や嫌悪をも起こさせたのである。

（訳注）
●ルネ・デカルト（1596-1650）
フランス出身の哲学者・数学者。1637 年に思考を確実なものにだけ基づいて発展させる方法（これは方法的懐疑と呼ばれる）をラテン語ではなく、あえてフランス語で論じた「方法序説」を出版した。「我思う、ゆえに我あり」を掲げ、近代哲学の父とされる。デカルトの「方法」を要約すると以下のようになる。
1）疑いの余地もないほどはっきりしたものでなければ判断の中に取り入れないこと。
2）複雑な問題は小さく分けて１つ１つ考えること。
3）一番単純でわかりやすい問題から始めて、階段を上るように最も複雑な問題に進んでいくこと。
4）漏れなく対象を考えたかどうか列挙してみて、漏れがなかったかどうか見直しを怠らないこと。
1641 年、45 歳の時にデカルトは「方法序説」が果たして正しかったかを再検討した「省察」をパリで出版した。その他、「哲学原理」や「情念論」などがある。

●チェーザレ・パヴェーゼ（1908-1950）

イタリアの詩人、小説家、文芸評論家、翻訳者。1940年代から50年代にかけてイタリアで大きな流れだったネオレアリズモの作家とされる。ファシズムへの闘いがその背景にあった。文学ではイタロ・カルヴィーノやエリオ・ヴィットリーニ、映画ではロベルト・ロッセリーニやヴィットリオ・デ・シーカなどが知られる。パヴェーゼはイタリア北西部のトリノに生まれ、トリノ大学で文学を専攻した。1935年にトリノの知識人が反ファシズムの嫌疑で一斉検挙された時、パヴェーゼも巻き込まれ、イタリア半島南端の村へ流刑となった。「流刑」「故郷」「美しい夏」「浜辺」などの長編小説で知られるが、英米文学の翻訳家としてもメルヴィルの「白鯨」やジョイスの「若き芸術家の肖像」などの翻訳を出している。都会で働く二人の若い女性の孤独な青春を描いた小説「美しい夏」は10年近くパヴェーゼの引き出しにしまい込まれたままだったが、1949年に刊行され、評判となり翌年1950年6月にイタリア最高の文学賞と言われるストレーガ賞を受賞した。しかし、2か月後の8月にトリノ駅前のホテルで自殺した。

4. 継続　Continuation

●再開は継続ではない

　私がパヴェーゼのおそるべき強迫観念について長々と書いたからと言って、それは苦しみを見るのが趣味だからではない。奈落の底まで掘り下げてみることによって、パヴェーゼの数々の強迫観念が、人が再び何かを始めようとするときに、個人であれ集団であれ、誰もが必ず直面する逆境の基本形を示して見せてくれるように思われるからだ。〈再び始めることはデビューすることとは異なる〉という明白なことの後に、1つの問題が続く。

　毎回、新たな出発は、人が卒業したと思い込んでいた新人時代のヨタヨタした足踏みを呼び覚ましてしまい、昔ながらの苦痛と悪癖を時の表層にまき散らし、年譜をかき乱してしまう。さらに同じ理屈により、もう一つの平凡さから別の問題が生み出されると言えるだろう。それは前のケースとは鏡の裏表のようなケースだ。たとえばチャールズ・ディケンズの小説のように（注：「クリスマス・キャロル」）、スクルージ老人に過去のクリスマスの亡霊と、未来のクリスマスの亡霊がとりついてつきまとう。

　その平凡さというのは、再び始めることは継続することではないということだ。

　詳しく書こう。再び始めることはしばしば「もうこんなの続けられない」という極めて強い認識に基づくだけでなく、再び企てるという行動には必ず一種の中断がつきまとう。それは、「出発／départ」という言葉に類縁する動詞「区別する／départager」あるいは「割り当てる／départir」が見せてくれる。

「区別する」。

　再出発するためには線引きして閉じられる章と新たに開かれる章のそれぞれに属するものを区別する必要がある。決まり文句で言われているが「線を引かないといけない」。それが線を引くことか、線を消すことか。境目を記すことか、境目を抹消することかは知らなかったとしてもだ。少なくとも、その行為は重い意味を持つ。というのも現実の国境に於いては１本の線がそこを通過できない人を指定したり、国境の周辺で暮らすことを否定したり、行く手をふさいだりするからだ。

　思うに区別しなくてはならないが、同時に捨て去らなければならない。その「se départir ＝自分から外す」という言葉の熟慮された「se」（自ら）により、明白さは変質してしまう傾向にある。というのも理論的には、領域の部分部分はそれぞれ互いに外部の関係にあるが（正統派の測量技師たちなら、"Partes extra partes" という言葉を使うだろう）、境界もまたある領域の中に存在しているからだ。

　（それは少なくとも国境が根拠としたい見方だろう。とはいえ、国境は歴史が地理に復讐を遂げる時、否認されてしまうものなのだ。世界の多くの地域で、国境を引く扇動者たちは測量技師として振る舞おうとしたが、そのつけは私たちが長い間、払うことになる。）

　しかし、もう一度始めようとするとき、引こうとされる線の種類は、歴史を持たない空間上の境界線であるかのように偽るわけではないし、互いに外部にある領土や人々を区分けするような真似もしない。この線は、時間に直接に自らを刻印したいばかりでなく、さらに、私たちが最初の波に関わっていた事を

前提にしながらも、その波から距離を置きたいということなのだ。再び始めるためには、私たちが最初の試みの当事者だった必要がある。あるいは少なくとも、私たちがその継承者であると言い張れるだけの関係を先駆者たちとの間に持っていることが不可欠だ。私たちは先輩たちがいなくなってから、舞台に上がるのである。

　もし、私が再び始めることができる条件が、前のことが終わっていることであるなら、つまり、それは過去の出来事の永遠の流れの中にはっきりした違いを作り出すことであり、自分自身の記憶の中に区切りをつけることであるのだが、同時に認めなくてはならないのは過去の主体も私、あるいは私たち自身であったことで、二つの時期が同じ歴史に属することである。パラドックスは一見簡単に解決できそうだ。ともかく、亀裂は深くとも、完全な分裂ではないことを認めるだけで十分だろう。つまり、二つの層が重なって存在しており、一つの層は断続しているが、もう一つの層には連続が認められるということある。しかし、区別は、突然変異 対 恒常性、変化 対 継続、本質 対 偶然と言ったもので、抽象的かつ外面的であり、あるいは後から振り返って初めてわかるものである。それは物事が終わってからわかるものであり、検死の匂いがするものだ。逆に、今しも形作られつつある人生の流れの中にいる人たちで、そこに中断や出発を刻みたいと思う人たちにとって、問題は連続と不連続をうまく描くことではなく、「絶え間ないこと」の危険に対してどう立ち向かうことができるか、ということなのである。ここで私が「絶え間ないこと」という言葉で提起するのは、単なる連続ということではない。執拗に連続することで

あり、連続すること自体の圧力である。連続が執拗に押し付けられ、さらには対になる切れ目を吸収し、それらの切れ目を統合することにより、終わらせようとするすべての可能性を、あるいは終わらせることを完了する可能性を崩壊させるのである。そこには何一つ難解なものはない。「絶え間なく」という悩ましい副詞が響かせるうめき声である。悲しみや喪失を通しても結局、人生は続くというような平凡な慰めを前にして、時折、心が痛む予感でもある。つまり、それは常に良いことであるとは言い切れないのだ。

●ベケットの「名付け得ないもの」の絶え間ない声

　もし、その闘いの記述を描く必要があり、戦場の図面に罠やぬかるみを描くとすれば、最初に試みた「デビュー」の時と同じように、私たちに「続ける」ことに対する強迫的な恐れを叩き込むならば、今度は目を向けるべきなのはもはやチェーザレ・パヴェーゼでなく、サミュエル・ベケット[訳注]だろう。（パヴェーゼの）「生きる仕事」は一種の始動することへのこだわりの記録であるが、ベケットは小説「L'Innommable（名付け得ないもの）」の中のモノローグで、「絶え間のない」ものの声になったのだ。その叙唱はあまりに頭につきまとい、伝染する性質のもので、ミニュイ社から1953年に出版された小型の白い本からあふれ出し、他のテキストにまで波及した（哲学者のエブリン・グロスマンによると、ベケットの本は「互いに浸透しあう、出発点も終点もない、多孔質の入り組んだものである」）。ベケットの音楽は彼の名前なしに他の作家たちの作品の中でも

表れ、作家たちはその旋律がつきまとって離れないような感じで、ハミングするように彼を引用する。例えば、ミシェル・フーコー^(訳注)は、コレージュ・ド・フランスの就任最初の講演の冒頭で、「始める必要がなく」前から続いていた声に導かれているという夢に任せ、耳の中に英国人がイヤーワーム（earworms）と呼んでいるものが聞こえてくるように、その単調な繰り返しの声を自分の言葉の間に何気なく挟んだ。そして私自身も、この「絶え間ない」声を呼び覚まそうとする今、そのあと、果たしてうまくそれを振り払うことができるのか確信が持てないことだ。聞いてください。

「……続けなくてはダメだ。私は続けることができない。続けなくてはダメだ。思うに、続けよう。言葉を話さなくてはダメだ。語る言葉がある限り、話さなくてはならない。話すことによって言葉が私を発見するまで。それが私に語るまで。奇妙な苦しみ、奇妙な失敗。続けなくてはダメだ。多分、すでにそれは起きたことだ。それは多分、すでに私に語られたことだ。多分、私の物語の戸口まで運ばれたはずだ。その戸口は私の物語を開くものだ。もし物語が開くなら、それは私を驚かせるだろう。それは私となるだろう。それは沈黙となるだろう。私のいるそこ。私は知らない。絶対にそれを知ることはないだろう。人が知らない沈黙の中で。続けなくてはならない。私は続けることができない。私は続けよう。」

これは「L'Innommable（名付け得ないもの）」の最後の部分である。ここで話している声がかすかに 214 ページに渡って動

いてきたのは、本の前の方でまだ強く願っていて、口にしていた夢を諦めたからであることを意味する。

　「……*終わることは望ましい。終わることが素晴らしいのだ……*」。

　その声は、今こそ「*一度、全部始末し、どこからでもなく、誰かの後を引き続き、でもなく、無からまた始める*」時だろうと付け加えた。と言っても、また同じところに戻るリスクはあるのだが。「終わる」という語に「素晴らしい」という形容詞が結びつくのは真意か、あるいは皮肉か判断できない。もしその皮肉が爆笑であれば、それは一種の羞恥心なのか、あるいは問題を無視する方法なのか、判断できない。あたかもベケットが別のところで、次のように書くように。

　「*というのも彼は、何らかの方法で、そこにたどり着いて終われたのだから、もっと快活になり得ただろう。というのも、一筋の光があれば、すぐにもっと快活になるから*」

　しかしながら、ひとつの点は明らかだ。それはベケットが、一連を終わらせることを、このような終わりの言動で援用する時、パヴェーゼの場合とはまったく異なるということである。パヴェーゼの「生きる仕事」においては、間違った出発の繰り返しが、失敗した人生に終止符を打ちたいという願望を呼び覚ましていた。一方、ベケットにおいては逆に、終わることへの甚だしい執着が最初にあったにしても、絶えず探し求められて

いた、あるいはあらかじめ約束されていた中断は先送りにされてしまうと言えよう。ベケットにおいては、終わりはあたかもぎりぎり手が届くところにものがある時と同じで、それらのものを掴もうとする時、ただ指先で触るだけになり、それらを転がらせてしまうのだ。一歩一歩の歩みによって目標に怖気づかれ、遠ざかせてしまうのである。

この矛盾に満ちた、強制的な「再びやること」は、ベケットの後期の作品、「*Pour finir encore*（もう一度終えるために）」のタイトルの3つの語に集約されている。この文句は、毛虫のように前進し、真ん中 = finir で収縮し、そして、すぐ副詞 encore = もう一度を付けられることで長くなり、続きと否定を同時に表すものだ。副詞は「もう一度」あるということを示し、完璧に終わっていないことを語っている。おそらくそれを分かっていただろうから「もう一度終わる」という野心の中に失敗が最初からプログラムされていて、従って、人は何度も終わらせようとする以外に選択肢を持たないということだ。何よりも、この過剰な時間は、普通、企てとその完成の間や、始まりと終焉、「向かって」と「終わる」の間にはない。それはむしろ、後で現れる。あたかも遺言補足書や気象が乱れた後の空、追伸といったものである。そして、行動しようとするすべての意志を、執着と放棄でできているべたべたする時間の中へ、沈めてしまうのだ。というのも、もし「もう一度」という言葉が付け足しや足し算を想起させたとしても、ベケットにとってはその追加は、確かに良いものではない。ベケットほど、継続に逆らえばどのくらい剥奪を引き起こしてしまい得るか、感じたり、言う

ことができたりした人はいなかった。一方では、この経験はいつまでも余り物で満足することを強いる。そして、人生の可能性はどんどん小さくなる。だからと言って骨にまで至るわけではないが。

　ベケットはすでに「モロイ」という処女作の中で荒々しくそれについて書いている。「*何も持っていない者にはクソを愛さないことを禁止する*」。また一方で、絶え間ない経験は、将来の見込みが一切ない人生の方が、将来が未知数であり、はっきりと決められていないよりもむしろ手堅いものであるような生活である。そこでは失われた将来の夢を取り戻そうとすることすら認められない。この宙ぶらりんという状態は、「ゴドーを待ちながら」が明らかに最もよく知れ渡った表象である。しかし、私はむしろ、「名付け得ないもの」の中にあまり形而上学的ではなく、もっと私たちの平凡な慣りに近いものを、以下の冗長な繰り返しで見ることはできる。

　「*何もすることなく、ただ待つしかない。それは何にもならない。何も理解することもなく。それはまったく前進することもない。そしてすべてはうまくいく、何もうまくいかない、何もない、何もない、決してそれは終わらない。この声が途絶えることは決してないだろう。私はここにたった一人だ。最初にして最後の人間だ。私は誰も傷つけなかった。私は誰の苦しみをも終わりにすることがなかった。誰も私の苦しみを終わらせにきてはくれないだろう。彼らは決して消え去らないだろう。私は決して動かないだろう。私は絶対平和でいることはないだろう。彼らも同様だ……*」

ベケットが私たちの時代の作家だと納得したい人には、いったい何人の女や男や子供たちが今日、このように政治において待機中の経験をしているのか、と自問してみるだけで十分だろう。いったい何人の人々がトランジットゾーンから留置センターまで、期限のない緊急事態にとらわれ、仮の住まいにいることか。新しい人生を探し求めながら、ゴドーを待つというよりもむしろ身分や滞在許可の延長、滞在資格の更新、申請に対する返答、個々のケースへの検討、状況の安定化、地位の強化、検査、再申請、引継ぎ、資料の作り直し、判決あるいは控訴の宣告を待ち続けているのだろうか。いったい何人が待合の長い行列で、ささやき声か怒鳴り声で、「何もない」「誰一人ない」「いつまでもない」という声を出し続けていることだろう。それらの声をベケットは「絶え間ない」という言葉で正確な表現に凝縮したのである。そのように「何もない、誰一人ない、いつまでもない」と繰り返ことによって、人はそれを信じ難く思いながらも同時にやっぱり確信するのである。何一つかなわない状態が続くことを自覚しようとするが、それに至らない。救済と不幸の入り混じった思いの中で、繰り返しそれらの言葉を口にする度に、毎回まだこれらの事態が信じ難かったことがはっきりすることになるのだ。

　ベケットが「jamais＝いつまでもない」という語を強調する理由は、おそらく彼のもう一つの言語である英語では、「ever」と「never」の二つの言葉との間に「jamais」が位置しているからだろう。つまり、「jamais」という言葉は、はっきりとした非在を表現することもあれば、場合によって過去または未来の「ある時」を指すこともある。「*sait-on jamais*」という言い方は、

人はいつか理解するかもしれない、という意味もあるのだ。

「*続けないといけない。私は続けることができない*」

それ以前の記述では、「絶え間のなさ」は完全に受身の経験のように見えており、人は威圧的で且つ乗り越えがたい要求に従っているように見える。だが、サミュエル・ベケットの最後の教訓は決してそれではない。もちろん、「名付け得ないもの」は、第一に大変な状態に置かれている人物についての物語であり、「私」は自我との一致が永遠に先送られている。そのため、自分が話す言葉が自分の物語であると自分で認めることができるまで、話し続けることを余儀なくされている。そこに到達した時、初めて沈黙が訪れ、休息を彼は手にすることができるのだ。

私が最初に提案した明白なこと、「*再び始めること、それは継続することではない*」ということはまさにその意味なのかも知れない。絶え間ない状態からや、待合室の呪いなどから逃げられたからこそ、自分の物語を取り戻すことができる。あるいはこれ以上笑いものにされない権利を持つことができるだろう。また、このような苦難はそれを耐える人間においてバイタリティや我慢強さを持ち合わせていることを示すことも無視してはいけないだろう。冷徹に言うなら、自分を主体として示す能力を損なう経験を続けるのに、自分たちでも力を出しているのだ。その繰り返しが私たちを殺すと正当に抗議しても、実は私たちの人生の一部はそこに亡命していることを否定できないだろう。

ある種のうつ状態にいる人たちについて、私たちは〜なんという軽やかさだろう！〜「みんなより長生きするだろう」と言ってしまうことがある。また同様に、エブリン・グロスマンが言うところの「鬱的な否定性による逆説的な生命力」にベケットがこだわっていたことを否定できないだろう。「名付け得ないもの」の中でつぶやきを貫く声は、また他のところで出くわす未熟な人物は、困っていることをくどくど繰り返すことができ、また、究極に何もない状態まで進み、地下の空間でなんらかのサバイバルができる。彼らのすぐに消えてなくなりたいという夢が「sine die（無期限に）」延期されるのは、彼らの中に生きた警戒心がまだ残り、彼らの内側と周りには動物的な動悸があるのであり、長い不眠症のように目を閉じさせないようにしているかのようであるからだ。

　「もしすべてが終わることがあり得るなら、平和になるだろう。いや、人はそれを信じないだろう。人は新しい声や生きる徴を待ち伏せるだろう。」

　スピノザ[（訳注）]はすべてのものが存在し続ける傾向を「conatus」と名付けたが、ベケットについては「不幸なconatus」という概念を新たに作ることは必要だろう。その概念により、切り離されていたいと思うものとの関係を持続する内面の傾向や、一瞬でもいいから眠りたいのに、つないでしまう傾向がもたらす労苦を表現できるだろう。

●むしろ、完全に失敗することが再開の条件

　一つのことは確かだ。絶え間なく続くことの呪いから逃れることは、少しずつ時間をかけて改善されるものではないことだ。この意味で、再び始めることを勧めるように見えるベケットの小説「Worstward Ho（Cap au pire）」（針路を最悪に向けて）の中の文句はある種の用心深さを呼び覚ますのだ。

　　「かつて試みた。かつて失敗した。構わない。もう一度試みる。もう一度失敗する。よりよく失敗する」

　「もう一度試み、よりよく失敗する。」この呪文を通して、最近サミュエル・ベケットは思いがけない名声を得たようだ。スキー選手のアレクシス・ピントローはその表現を自ら唱えており、億万長者のリチャード・ブランソンはそこに自分の成功のカギを認めており、また、テニス選手のスタニスラス・ワウリンカは腕にこの文句をタトゥーとして入れて、こう説明した。

　　「これは僕の仕事と、どんなに負けてもまた挑戦しようとする僕の欲求をうまく要約した文だ」

　ここで水をさすことになり、申し訳ないのだが、このような解釈はベケットの文句の中に洗練された試行錯誤による修業というものを読んでいるわけだ。しかしながら、実はベケットの「fail better」はよりよく失敗することとは全く逆のことを意味するのである。たとえ未だ成功してはいなくとも、より一層成

功に近づくなという命令である。逆に、失敗するならもっと完全に失敗し、できるだけはっきりした惨事に到れという命令なのである。消毒するため傷口をむき出しにしておくのと同じように、成功しようとするすべての野心を完全に払い落とすのだ。徐々にうまく行くようなことではなく、むしろ « cap au pire » ＝最悪に向かうことへの呼びかけである。繰り返しによって失敗を乗り越えるのではなく、失敗によって繰り返しを断ち切ることなのだ。

（訳注）
●サミュエル・ベケット（1906-1989）
アイルランド出身の劇作家、小説家、詩人。代表作は二人の道化師的な男らがゴドーという人物を待っているが、一向にゴドーがやってこない戯曲「ゴドーを待ちながら」（1952）。ウジェーヌ・イヨネスコらとともに不条理演劇を代表する作家の一人。新しい表現を開拓した功績で、1969 年にノーベル文学賞を受賞した。

●ミシェル・フーコー（1926-1984）
知と権力の関係を中心に、監獄や精神医学、同性愛など様々なテーマを論じたフランスの哲学者。著書に「狂気の歴史」「言葉と物」「監獄の誕生」「知の考古学」「性の歴史シリーズ」などがある。同性愛者で、学生時代はその葛藤から自殺未遂事件も起こしているが、それをばねに自己の思考を発展させていった。しかし、1984 年、当時急速に流行したエイズで死亡した。

●バールーフ・デ・スピノザ（1632-1677）
オランダの哲学者。デカルトの影響を受け、ゴットフリート・ライプニッツ（1646-1716）らとともに近代哲学の先駆者の一人。神を無限の実体と見る汎神論者として知られる。著書に「神学・政治論」、「国家論」、「エチカ」などがある。

5. 反復　Répétition

●ラカンの「知っていると想定される主体」とその転落

　これまでの話の棚卸しをしよう。私たちのやり直しは曲がり
角で待ち受ける二つの疑いの間に自ら道を切り拓かないといけ
ないようだ。ある時は、かつて一度も始めることができなかっ
たのではないか、初めての試みを乗り越えることができなかっ
たのではないか、と疑う。どこに向かっているのかわからな
かったため、まだ試みにはなっていなかったのではないか。本
当の出発ではなかったのではないか。誤った出発だったのでは
ないか、などと疑ってしまうため、その不安が今回や、この後
の企てまで尾を引いてしまう。またある時は、逆に最後の試み
が未だ終わっていないのではないかと疑う。そのクズがまだ残
り、まだ今も続いている余震が規則的に感じられるために、私
たち自身の一部がその揺れを認めざるを得ない。そのため、そ
のことが妨げとなり、再開の想像さえも不可能になるのだ。最
初／最後、まだ／もう一度。というのもすべての再開がそうし
た条件のもとに行われるからだ。私たちの精神も、私たち集団
の企てと同様に、終点がないのではないかという恐れや何度
やっても同じところに戻る恐れに取りつかれているのである。
　これらの宿命的な不幸は、悪魔払いとして、二つの根強い幻
想を生み出してしまう。一つはどうやってもたどたどしい行動
から逃れられなかったのではないかという不安に直面し、知恵
をもつ夢を抱くことだ。その知恵を持つことでこれからの行動
を組み立てることができ、そこに方法的に進歩している外観を
与えることができる。そればかりでなく、かつて道を進んでい
ると勘違いした辛辣な思い出から癒されることができるという

わけだ。

　もし、真実が再び追求されるのなら、公正な利益のためというより、むしろ、新たに、あるいはやっと等身大の自分を求めることに貪欲なひとによる場合である。一方、「継続」の襲撃に直面したとき、介入に現れるのは徹底的な断絶の夢である。この夢はもう一つの夢と異なりながら同時に切り離せない夢であり、古代哲学の中で言えば、理解と意志である。そこに求められているのは意志することである。なかなか消え去らない過去のものに抵抗するだけではなく、再び訪れるものからきっぱり断ち切りたいのである。それは両義的で、一方であまり積極的に思い出したくない記憶であり、一方で、自分自身がその魅力的なものの一部であると感じる執着でもある。この二重の夢は精神分析において名前がある。それはラカン^(注)が「知っていると想定される主体」と名付けたものだ。精神分析療法を受ける人が、分析を行う精神療法医に対して自分に即した完璧な知識を持っていると思い込み、思い出によって過去に引き戻されることのない人生への鍵をも持っていると信じ込むものである。政治的秩序においては同じ熱望が昔から、組織を組み立てる科学的方法を探索することに向けられてきた。その方法が実践される時、本当に過去との断絶が可能となるのだ。そして、その断絶の徹底さが逆にまた、科学的な方向に探索の歩みを進めさせるのである。

　私はここで、プラトンの後期の、「政治」と題する対話の中にあるくだりを挙げてみたい。「完全な人間」とその人間が持ち揃えるはずの「完全な技芸」のシルエットを作り出すことにまつわる話の展開がある。だが、その前に前に長い神話的な話

があるのだ。世界は時に正しい方向に、時にさかさまに回っていることを説明しているのである。正しい向きに回る場合は〜昔〜神々は人間の良い牧師として、世界を歩き渡っていた。逆向きに回る場合は〜今日だが〜神々は退き、彼らの代わりに人間たちが後ずさりしながら、知識と組織立てられる行動を何とか下書きできるようにさせられたのだ。

　　「*親切であれ。巻き戻せ。(Be kind, rewind)*」

（※編集部注：レンタルビデオ店で VHS テープに使われる言葉「巻き戻してご返却下さい」。フランスの映画監督ミシェル・ゴンドリーに同名の映画がある。）

　政治は、古代ギリシア時代のその源から、ほどけていく世界に対する科学として定義されていた。したがって人々は政治に対して終点を期待することなくして、出発点を求めることはなかったのである。もっとよく知り、もっと多く求めること。もしこれらの嘆願なしにはやり直しが可能ではないなら、同様にそれらを疑わしく思うことなしに解放もまたあるまい。精神分析学はそれを警告する。「*知っていると想定される主体の転落*」の中にのみ、欲望の解明が起こる条件があるのだ。たとえ全知というイメージを通してのみ解析が可能となり、精神分析医への転移を起こすことができたとしても、である。精神分析療法家の技術と倫理の一部がこの「転落」を準備し、和らげる。そして患者が療法家から距離を取ることができるように導く。失望させることを習得したり、患者に見せられる理想化した像から離れたりすることに同意すること、一時的な虚構であったこ

とをつつましく告白すること。^(原注1)やり直しへの強い欲求がおのずと患者に沸き起こる分、そこに支配のあらゆる形の構築があり、従属したいという欲求につき動かされるため、これらの用心が大切なのである。二つの不安に突き動かされているため、ひとつの祈りの言葉を切望するのである。その人を非常に従順にするには、患者には今回はついに理解できるであろうということ、あるいは、今回で徹底的に断絶できるであろうと期待させるだけで十分である。つまり立ち直るためには知識と意志を持った人物に身をゆだねればいいのだ、と期待させるだけでよいのだ。

おそらくそういった事情から、現代政治の世界においても、有能さの誇示と意志の誇示との間の競争が激化しているのだろう。これらは見事に対照的なのだが、一方ではオーソドックスで、かつ複雑多岐にわたる知識を持っていることを誇り、他方では疑いは差しはさませない大いなる拒否によって活気づいているのである。これで勝負はついた。

●1990 年代の Act-Up Paris の活動家たちによるエイズとの闘い

私は今日において、新しい出発はむしろ、私たち自身の亡霊と和解することを要求しているのだと考えないわけにはいかない。デビューすることにできるだけ恐れを抱かず、続けることにもできるだけ恐れを抱かなくなるということだ。本文を執筆しているこの秋、ロバン・カンピヨの素晴らしい映画「*120 battements par minute（邦題 = BPM ビート・パー・ミニット）*」が集団的な記憶を想起させたのだ。それは 1990 年代に Act-Up

Paris の活動家たちによって政治的闘争として計画され、行われたエイズに対する運動である。その闘いは同時に学問的かつラディカルなものだった。彼らはエイズに対してどういう治療方法を取るかについて彼らにも決定を下す権利があると主張し、噴出する血液や遺灰について沈黙を破ろうとした。と同時に返す刀で、人が何をすべきか知っていると言い張っていた者たちを非難し、さらに一度ですべて終わらせられるという思い上がりが含みうる、疑わしい英雄主義を脱構築（déconstruction）したのだった。

　そこで創造された行動の形式に基づくスローガン＝「滑稽なことを恐れるな」は、後から振り返ってみると、今でも敬意に値するものだ。しかし、戦略の見地から見ると、Act-Up Paris の活動家たちは当局が作り上げた知識に従うことを拒否する新参者たちの力をむしろ好ましく思ったのである。

　彼らが自分たち自身に関わる知を自分たちのものにし、自らが専門家に反対する存在になったのは、AIDS によって医学そのものがそれまで鼻にかけていた価値基盤が失われたからだ。そして、「知＝権力」というスローガンのもとに、1986 年にデンバーでエイズの活動家たちが語った総括「私たちには何が起きているのかわからないが、医者たちもまた知りはしないのだ」がこだましていた。患者も医者も同様に準備不足だということである。

　同時に、決定的なこの断絶に対して、Act-Up Paris の活動家たちは、ある闘争を対峙させた。その闘争のラディカルさは、ただ継続したいという欲望（それは闘争を続けたい、生存し続けたい、ダンスし続けたい、キスし続けたいといった欲望）と

不可分だった。彼らはこうした闘争に、このような緊急事態が生み出すものを加えた。それは政治的インテリジェンスの葛藤から生み出されるものだ。

　ある日薬の料金の方針があまりにも容認しがたいため、製薬会社の研究所を攻撃したら、翌日は製薬会社が創り出す薬がどうしても必要だから彼らと交渉する、というようなやり方である。この闘いが模範となったのは初心者の闘争とも見なされたからだ。科学界に対して情報を持った激しさを対置しつつ、生き残った人々による闘争として、礼儀正しさを捨てて、必死に闘い続けたのである。

　この糸を追ってみよう。いつかデビューする時期を完全に終える時が来ることを夢見るよりも、むしろ、大切なことは忘却の力を取り戻し、このような闘争の経験に基づいて指揮権の剥奪を敢行することである。そして、パヴェーゼを苦しめた常に出発点へと送り返される恐怖から、運命に対する苦悩から身を引き離すことなのだ。同じ様に、ドアがバタンと閉まるようなドラマツルギーは慎ましく脇に置いて、すべてを終わりにしたい欲望と、何とか救いたいと言う欲望の間を揺れる代わりに、人は力を存在し続ける方向に戻すことに専念するべきなのだ。ベケットを苦しめたあの足踏み状態、同じ地点へはもう二度と戻らないように努めながら。よくわかることだが、どちらの側にとっても、繰り返しへの強制を避ける能力が問題になっていた。しかし、難しさは、再開が反復を避けられないことにある。それは少なくともふたつの点においてである。

　再開する時、前の試みの何がしかが次の試みに残ることを期待されるものだ。そして、さらに矛盾をはらんでいるのだが、

最初の試みの何がしかが二回目の試みの表層にまで露出することを期待することを避けることはできない。これらふたつの期待が合流し、教養あるみずみずしさ、あるいは新たなハネムーン、といった不思議な形に結実する。端的に言えば、反復のない再開、というものはない。だが、やり直しと言うものは反復のような、同じものに戻ることには必ず抵抗するものだ。「もう一度同じことやります」というようなものへの頑固な拒絶によってこそ養われるものなのである。反復は、それが支援や将来の見込みとして呼び起こされる時、果たして反復が未来を没収しないようなやり方で自身に敵対することが可能であるか、また可能ならどのようにできるのか、そこにすべての難しさがあるのだ。

●ハンス・ブルーメンベルクの「前兆」の研究 歴史は繰り返すのか？

反復は未来を拓くものでありながら、同時にまた、未来を閉ざすものでもある。歴史上に名を残す人物たちを輪に囲い込む反復の力は、彼らが方向性を決めたり、それに向かって飛び立ったりするとき、反復への信頼感の大きさが左右する。この二重の理論は最近、「Préfiguration（前兆）」というタイトルでフランス語訳が出たハンス・ブルーメンベルクの本の核心である。「神話の研究」という大著の現代版の中でブルーメンベルクは、歴史を動かす人物は、彼ら以前の出来事の中に先駆者や先行者を探し求めるのだと主張している。現在起きている対立は反復的なことであると考え、その探求によって必要な人物に巡りあえると言うのだ。このような過去への詮索は、歴史が外

から見られるもので機械的に進むものとして思われる限り、意味がなく、不合理や魔法のようなものと思われるだろう。人は限られた時間枠の出来事が、一般的な歴史の法則によってつながっていくことしか見ていない。だが、歴史の登場人物たちは、虎視眈々と、現在と過去の間で内的緊張をうかがい、そこに使命や召命を待ち構えているのだ。ある時には歴史の括弧を閉じるべきであり、ある時には過去にやりかけていた作業が現在、行われるべきものになる。またある時には遠くから、有名な出来事が、現在における再現を命令し、あとに従うようにみんなに勧める。

　それらのような相続への探求は、例えばアレキサンダー大王のクセルクスへの復讐〜とっくの昔に元の恨みが消えていたのに〜や、あるいは、神聖ローマ皇帝のフリードリヒ2世がキリストの足取りを模倣したことなどが挙げられる。「Préfiguration（前兆）」は一つの分析を提案するのだが、その提案の面白さは作為的な部分も、必然の部分も、いずれも評価するところにある。もちろん、現代から見るからこそ、過去のエピソードはある時、突然、尊大にも映る。

　（エジプトが624年のイスラム教徒の勝利を刻んだBadrの戦闘を記念してヨム・キプール戦争（訳注：1973年の第四次中東戦争）を始めた事例をブルーメンベルクは記述の出発点にする）

　しかし、粉飾と改竄の間にある、ストーリテリングの効果にしか目を留めないのであれば短絡だろう。言い方を変えると、現代の意識には彼らが相続すると主張する先駆事例に対してある程度、自由がきくとしても、また多かれ少なかれ私たちがどの先駆者の元で行動するかは選ぶ自由があっても、だからと

いって、その選択はただの任意でも粉飾でもない。

　その選択の必要性は、私たちが置かれている行動すべき時が徹底的に偶発的なものであるからであり、二重のめまいに対応するものである。ブルーメンベルクはこう記している。

　一方で前兆は「*動機に関しては安心させ、その正当性に疑問が出されることに対しては、判断材料を自由に使えなくして、批判から守る*」

　つまり、最初のもたつきを防ぐのだ。

　他方で、「*前兆に頼ることが行動の決定の確かさを保証するだけでなく、その中断を不可能にし、その結果を決定的なものに見せる*」

　言い方を変えると、前兆はものごとがすでに始まっていることを保証し、先行するためらいから救うものであり、一度終わったものであることからこそ、次に来る決断の方向を付ける。迷わないために決定的で、取り出す前兆の積み札が他者と共有されているからこそ、自分の行動が受け入れられるための条件にもなっている。その上、それらの他者たちは、先に取り出そうとすることもあり得るから、例えば遺産相続の争いをスピード競争に変え、他人より先に過去の振る舞いを繰り返すしぐさを強調して見せる。

　前兆はまず、現在が不確実さや分散に対して探し求める支えである。それを「魔術的」とブルーメンベルクは強調するが、

彼はその道筋の探求とその道の拓きかたとは単純に人間疎外であるとは考えない。集団の自由は、それが行使されるためには、先行していた形式と関係づけられる必要があり、さらにもっと遠くまでいくことを想像し、達成に至ることができることを必要とする。従って、先駆者を呼び覚ますことは歴史の中から霊感を得る方法でもあり、上の権限に膝を屈すべき超越的なモデルを呼び覚ますのではない。過去を見つめることによって、天に向かわなくても済むのだ。「君主論」の中でマキアベリは、哲学者たちが創造した理想のモデルを批判し、彼らより歴史や聖書の例になる人物、例えばモーゼ、ダビデ、シーザーなどを好んだものだ。同じようにブルーメンベルクは神秘的な近親関係は、歴史を上層から形成された秩序に服従させるよりも、水平の関係にある網を織りなすことを強調する。

　それでもなお、歴史における神話の重要な役割を強調することは、どのようにまたそれが誤りを持ち込むかをよりよく理解することを可能にする。第一に、自分の神話を築き上げようとする者は現在の状況に対して影響力を行使するよりもむしろ、未来に霊感を与えることを大事にする危険がある。フリードリヒ２世に関してブルーメンベルクは彼の神秘的な像は「*衰退と関係する*」と書きつけている。歴史に残る存在になるためには早く死ぬ必要があったということである。また彼の「*現実的な手堅さがない活動*」の方がまだ鮮烈な記憶を残しているのだ。だが、ブルーメンベルクの前兆の病に関する記述の核心は、ヒトラーのケースに関わるものだ。ヒトラーは熱狂的に自分の先例になる人々を探していた。例えば時にフリードリヒ大王、時にナポレオン、また別の時にアレクサンダー大王などなど。ヒ

トラーはゲッベルスにドイツの新聞にカルタゴ戦争について長い記事を掲載させた。また 1945 年にルーズベルト大統領が死んだ際には、エリザベート女帝の 1762 年の死を思い起こさせる出来事としてこう叫んだ。

「*これは私が予言し続けてきた大きな奇跡だ*」

ブルーメンベルクは歴史資料館の記録をもとに綿密に「*反復することへの古くさい強制*」にとらえられていた独裁者の肖像を描いている。その反復にヒトラーは指針ではなく、運命を見ており、そのためにいつでも何度も同一化する人物を、擦り傷のついたレコードが何度もジャンプするように取り換え続けた。軍事的な領域ではブルーメンベルクは「*それはリアリズムには寄与しなかった*」と控えめに記すだけである。

だが、この物語の中で最も気がかりになることは、破滅が確実になってくるに従い、ヒトラーとその取り巻きたちが過去の人物の間に、ますます早くくるくる回ることではなかった。また、それらの過去の人物への祈りは結局、行動を支えるものでもなかった。むしろ最終的に完全に前兆が行動の代わりになり、最後には修辞学的な攻撃と化したことだ。そのために軍隊と援軍は幽霊のように敗北しているドイツ領に立っていたのである。「*ニュースの詳細へ注意を払う*」よりも、「*目下、大衆に大きな効力を発揮する一連の予言を発表した方がよい*」とゲッベルスは 1945 年 3 月 24 日と 25 日の日記に書きつけている。最も気がかりになることは以下である。ヒトラーは過去に取りつかれ、最後の時局において自身のあらゆる軌跡を破壊しつ

つ、フリードリヒ二世の小さな楕円の肖像画を守ろうとした。その極端な状態について考えるとき、ある一線を越えれば前兆の使用はこのような支離滅裂なたわごとへと至るとという、そうした境界線を引くための決定的な基準をブルーメンベルクが見いだせなかったことだ。単純に、反復とは可能性を持つものであるとともに、罠でもあることをブルーメンベルクは記す。ブルーメンベルクは反復を主観的な専制から逃れる行動の条件と考えると同時に、人が歴史上のあらゆる人物になる夢を見ることができる錯乱を生み出すものでもあるとする。

原注1 「知っていると想定される主体の転落」に関して、ジャック・ラカンの「精神分析の四基本概念」を参照。

（訳注）
●ジャック・ラカン（1901-1981）
フランスの哲学者、精神科医、精神分析家。フロイトの精神分析学に、構造主義の知見を加えて鏡像段階論など、独自の精神分析理論を構築した。著書や講演録に「エクリ」や「転移」などがある。

●ハンス・ブルーメンベルク（1920-1996）
ドイツの哲学者、思想史家。哲学における隠喩の働きに着目し、メタフォロロギー（隠喩学）をキーワードに、哲学史を新たな視点で記述した。著書に「光の形而上学」「メタフォロロギーのパラダイム」、「世界の読解可能性」「われわれが生きている現実　技術・芸術・修辞学」などがある。

6. 引き波　Ressac

●言語（ラング）と表現（パロール）の結び目の場所を指し示す

　あなたを方向付けるために必要ではあるが、前兆は同時に方向を見失わせるものでもあると認めよう。それではそこに厳格な仕切りがないとして、それではどちらになるかという方向性の揺れが固まり、決定される領域を設けることは少なくとも可能なのだろうか。

　「*レトリック（修辞学）が明白さのないところに体制を作る*」

　こうブルーメンベルクは書きつけた。ブルーメンベルクにとって、反復の持つ両義的な力は、永劫回帰の思想にはあまり負っていなくて、むしろ、前兆とレトリックとの間に類似性があることに多くを負っている。結局、かつて書かれたことをもう一度書くべきであるという理屈は語句の比喩、言い回し、言語、意味の伝達などの問題とも完全に無縁なものではないだろう。カール・マルクスはその有名な宣告、「**世界史上の大きな出来事と人物は二度現れる～一度目は悲劇として、二度目は喜劇として～**」の延長線上で似たような類推を行っている。
（訳注）

　「*新たな外国語を学び始める人は常に自分の母語に訳すものだ。だが、その新しい言語の精神に同化し、自由に使えるようになるのは母語を思い出さず、母語を忘れるほどその言語を使えるようになった時だけである*」

　マルクスにとっては、歴史上の人物たちはインスピレーショ

ンや正当性を得るために過去の人物を真似するとき、これ見よがしであり、不器用である。それは語学の新人が、すでに体得している母語にしがみつき、新しい言語にアプローチするやり方を想起させるものだった。実際、ジャック・デリダが「マルクスの亡霊」の中で書いているように、そこには単なる比較以上のものがあるのだ。それは言葉が単なる例というだけではなく、まさに『遺産継承権の要素そのもの』ですらあるからだ。1789 年のフランスの革命家たちはローマ共和国の継承者であると自認していたが、彼らの言葉の中にそのことが示されていた。革命家たちは議会での発言を編纂するにあたり、キケロの時代のスタイルに依拠していたのだ。また、ルイ・ナポレオンが偽りのものとして見えた最初の理由は、借用した言葉の誇張だった。もっと掘り下げるなら、個人の経験、一人称の領域と、集団の規範の領域を結びつける要素を探すなら、話すということは、各自においては、もう一度始めることが大切であるのと同時に不安でもあるような出来事である。つまり、表現を行うことは既存の言語の反復の中でのみ、その言語によりのみ、またその言語に対立しながらのみ表現を行うことになるのだ。もう一度始めることは実際、言語と表現の結び目の場所を指し示す。そこで繋がっていると同時に対立する二つの傾向が絡み合う。言語は表現する行為によって、生き生きした意味を与えられ、語彙の配置を再編する。言語の中の語群を今話されようとする中身に適合するように仕向ける。しかし、同時に、過去の用語によって今現在のアクチュアルな意味は脅かされるのだが、それは過去の用語に今、ここで起きている事象を有機的に結び付けることを余儀なくされるためである。

ここで言語と表現が形成する概念の組み合わせを呼び起こすのは軽率過ぎるかも知れない。もし言葉が歴史を語らせるのを確かめたければ、構造と出来事の関係をめぐるフランス思想界の二十年にも亘る論争を起こしているこの対立だけで十分だろうが、ここにそれらの論争を述べるには長すぎる。埋められていても、忘却されていても、あるいはその時代が過ぎ去ったにしても、ある区別（構造と出来事の区別）がいかに思想界に跡を刻みつけ、前から切り拓かれた道のように、一般的な世論まで、それらが借用されたことは驚くことだ。たとえば、現在のフェミニストの運動で見るように、一方で、その闘争は「**発言の解放**」という言葉でつながり、ソーシャルネットワーク上には何千の一人称の証言が点々と並ぶ。その闘争は男の支配という抽象的な観念を暴力や屈辱的で耐え難い生々しい出来事へと降ろす。それらは沈黙の中で行使されたからこそ、倍増したのである。他方で、それらの運動はいかにフランス語が性差別のある言語であるかを強調し、男女を平等に扱う言葉を要求する。キーボードで女性を括弧に入れないように、「男・女」という新しい活字を求めているのだ。小指で Shift を、親指で Alt を、人差し指で F を、こうすることでビザンチン帝国のイコンを讃えるような手、あるいはラッパーのギャングのような手先を手に入れることができるのだ。難しくはないので、すぐに慣れる打ち方だ。

（**訳注**：これはフランス語の「インクルーシブ用法」と呼ばれる新たに提唱された表記法。フランス語には名詞でも形容詞でも男性形、女性形という区別がある。これまでは一般的に女性形は男性形の後に（　）つきで併記されてきた。たとえば市民を意味する citoyen

(ne）ではこのように女性形を示す ne が後ろに（　）で示される。
ここでは女性形を（　　）に入れるのをやめて間に点を入れて男性
形と併記しようと説かれている。たとえば上の例では citoyen・ne と
なる。筆者はマッキントッシュのパソコンのキーボードでこの・の
打ち方（Maj ＋ Alt ＋ F）を解説している。）

●ジュディス・バトラーとフェミニズム運動の経験

　それらの主義主張がともに今現在に浮上する理由は、フェミ
ニズムが様々な形で蘇っているというだけではない。表現を解
放せよという表現上の要求と、言語自体に対する政治的要求が
互いに絡み合っているということでもある。最初から言葉を奪
われ、文法から疎外された女性たちにとって、可能な解放とい
うものはない。言語の中に男女の区別が記載されている限り、
表現の中でも必ず反映されるものなのだ。ジュディス・バト
ラー[訳注]はこれに関して以前、自説を提唱した。バトラーはいかに
言語が夥しい支配に満ちており、各人をそれぞれのアイデン
ティティにピン留めし、それぞれの居場所を各人に割り振るか
を示した。しかし、同時に彼女が主張したのは、そうしたアイ
デンティティに沿った居場所の割り当ては、私たちの普通の社
会交流における前景であれ、外部であれ、いくらかのシーンで
は（理想の天であれ、構造の地下であれ）行われないというこ
とである。むしろそれらの割り当ての効力を保つために、割り
振りは定期的かつ日常的に、さらに繰り返し実行される必要が
あると言うことなのだ。
　要するにここには二重の教訓がある。一方では言語の支配は

深いが、ジェンダー的な不平等や制限は、それらに打ち克つような自然で際立った独自性を持つ人には課せられないということだ。めいめい私たち自身についての語り方は、めいめい私たち自身の中に刻まれる。

　たった一つの息で、言語は私たちを確立し、私たちを引き下ろす。自分の名前が間違って発音されるとき、不安を感じたとしてもおかしくはない。しかし、その一方で、この深さにはもう二重の底はない。カーテンの影には何も隠れてはいない。あるのはジョルジュ・クールトリーヌの劇「ぶたれることへの恐怖」に登場する妻の役が、諦めきった恐ろしい言い方で言う「*毎度の小さなおつとめ*」だけだ。言語の支配は発言される場でしか実行されない。ただし、それは発言が繰り返すことができ、それによって体にさえ刻まれてくるような場合に限られるのだが。言語的無意識は、都市の下の都市や私たちの疎外がすでに起きている裏庭みたいなものとしてそれを思い描くよりも、むしろ、そこに内在する力を認識すべきだ。その力は1つ1つの言論活動の度に前進し、話す人を訓練する。言い換えれば、話す人々の背中を押し、それぞれの役割を果たすように鍛えるのだ。ある者は大声で話し、ある者は帰り道で、またいつも通り、夜通し何一つ話さなかったことを反省する。

　言語がそのものとして存在し、使えば擦り減ると信じるふりをするのはアカデミーの学者たちだけである。というのは、反復することはそれ自体が内容でもあり、言語がもたらす規範とヒエラルキーの支配を保つためには絶えず編み直すべきであり、バトラーの言い方を借りれば絶えず「遂行」すべきである。

「*行為遂行性（仏 performativité、英 Performativity）は一回限りの行為ではなく、反復であり、自然なものに変える儀式である。行為遂行性は身体を、文化の中にあり、文化によって維持される固有の時間性として見る*」

　だからこそ、性差別的な発言は性差別を確かめたり、自分にそれを認めたりするだけにとどまらず、あたかも暗唱でもして固く習得するかのように、それを鍛え上げるのである。男たち特有のうっとうしさや頑迷さとともに、彼らの猥談や卑猥なしぐさは性衝動の発露というだけでなく、社会規範の下請け作業員として辛い役割を果たそうとする努力の表れでもある。しかしながら、それらがいかに根強く、尊大であっても、言語が持ち込む服従は発言の中で現れるのだ。服従は自己主張し、気取って歩く。と同時に、服従は一瞬隙を見せ、無防備に見えるリスクがある。立ち上がって自己の主導権をもう一度取り戻そうとして、ぎこちなくなってしまうからだ。「小さなおつとめ」は失敗しうるし、横滑りしうるし、期待外れの不成績にすらなりうる。スポーツの悪い結果を語る時のように、あるいは、デモに対する反対の動きのように。そうした状況の中で、主体は自分に割り振られた役割を覆すことのできる狭い余地を見出そうと試みる。だが、明らかに、実行することは言葉で言うほど簡単ではない。というのも、バトラーが「*受け継がれた習わしとの交渉*」と名づけているものを、他者の制裁や私たち自身の話すには厄介な事態などとともに考慮に入れなくてはならないからだ。

　古い規則の秩序と、それらを再検討する計画との間で、賢明

かつ慎重な役割の割り当てよりは、むしろ、格闘技によって割り当てが行われる。また話す行為、もう一度発言することは、本質的には常に一般的な見込みと個別の不安の間で緊張するものである。見込みはこんな風に表現される。確かに、あらゆる発言は必ず一度話された言葉である。外部から借りた、使い古され、歴史の中で弄ばれてきた言葉だというリスクがある。それらの言葉は私たちの先を行き、私たちを超える力によってもたらされた。しかし同時に、それらの言葉の山自体は私たちのコミュニケーションの表層でしか読み取られることがない。発言ごとに新しい方針はそこで道をなんとか切り拓いて、その道にある言語から表現に役立つ原料を引き出すのだ。

　「このカオスは私たちが自らを表現したいという意志の中にあるもの。そして私たちとともにいる他人を理解したいという意志の中で見られる」

　モーリス・メルロー＝ポンティ^{（訳注）}はこう書いている。従って、言語のある状態から別の状態への移行の中で起きる変化は、反復による磨耗の印としてだけ読み取ってはいけない。むしろ記号表現の跳躍として毎回新たに作り直されるような、言語使用のあり方として読み取るべきだ、と。

　文献学のレベルで、ラテン語からフランス語への移行の中で確かめることはできるだろう。ラテン語ではアクセントが最後から二番目の音節にあったため、少しずつ語尾が侵食され、それとともに語尾にあった、文章の中での各語の機能を示すものも侵食されていった。だが、フランス語はこの研磨作用の単な

る結果だけではなく、作用に関わったものでもあるのだ。例えばある種の言葉を空にし（例えば pendant ＝途中、vu ＝なのだから、excepté ＝を除いて…）前置詞に役割を与え、語尾変化にはもはやできない役割を果たさせたのだ。廃墟の中に、意味はふらふらしながら自分の道を見出す。「世界の散文」の中で、メルロー＝ポンティはこの例を紹介しつつ、海の比較を行う。言語は消去を意味作用のチャンスに転換する。

　　「一波の後の海の引き潮が次の波をまたかき立て、大きくするように」

　このようにどんな発言も引き波によって運ばれ、そして波と引き波が同じ水であるから、あらゆる言語は歴史や表現と不可分なのである。くっついている二つの層のように、意味を伝える素材と表現する意図は切り離すことはできないなら、始めることと、もう一度始めることとを区別しようとしても無駄でろう。そうであれば、それぞれの発言の行為は、言語の原初の出来事を反復することになるのだ。それは人々を越えて、老醜や歴史の偶然の中で展開する言語によって行われる。

●ミシェル・ド・セルトーの「パロールの奪取」と五月革命

　引き波、あるいは、反芻は最後に変貌して、言語の動きそのものになった。しかし確かにこの現象学的な約束は有望なものだとしても、ある政局の中でリスクを取って発言する人々を完璧に安心させるためには、少し上から下され、遠いところから

言い渡されすぎている疑いがある。それらの大きな潮の手前
で、「もう一度始めたい」と切望する人々は既存の言葉の再利
用を避けることができない。

「世界の散文」はメルロー゠ポンティの死後に刊行されるが、
その数ヶ月前、1968年5月の学生運動が終わってすぐ後に（50
周年を祝うところだが、そのようなことはこれまで稀だったろ
う）ミシェル・ド・セルトー[訳注]はその危険を指摘した。彼の「パ
ロールの奪取」を読まないといけないものなら、もう一度読ま
ないといけない。というのも、ノスタルジーから最も遠いとこ
ろにあるからだ。そういった問題に対して、魅せられたと同時
に不安に満ちてセルトーは警戒を示しているのである。

1968年の夏にセルトーに不安を与えたのは、春に反乱を様々
な要求で飾り立て（例えば、こちらでは賃金の引上げ、あちら
では教育改革など）、それらの要求に文字通り反乱がとらわれ
てしまう恐れがあったことだけではなかった。もちろん、それ
によって要求の範囲が限定されたり、無効化されたりしかねな
かった。当時デモ隊が「懐柔」[原注1]と名づけていたものだ。だが、
むしろ、それよりもっと重大だったことは、活動家たち自身が
騙されることを恐れていたことだ。彼らが掲げる言葉が、今ま
で彼らを無視してきた世界と妥協しているものでしかなかった
ことを恐れたのだ。

マルクスの比較をもう一度使うならば、活動家たちの母語は
未だ持っていない言葉に対してここで働きかける。その未だ持
ち得なかった言語こそ、68年の抗議運動に参加した男女が主
張したいことを語ることができたかもしれなかったのだ。

「彼らは解放したと思っていたパロールによって騙されるリスクにさらされる。彼ら自身を守るために、彼らにできるのは他者から受け継いだ言葉を材料にして、新しい使用法を発揮することだけだ。この新しく、壊れやすい真実である彼らの経験は彼らが作ったわけでもない言語の拘束によって彼らから取り去られ得るものだ。[……] 彼らのデモは象徴的である。それは未だ彼らの言葉ではないのだ。」

　セルトーがここで示唆しているように、私たちがようやく他の誰でもない私たちだけのものとなりうるような一つの言語が未だ存在しないことを残念に思い〜その言語は結局、完全に私たち自身だけのものである〜さらにまた、時計を時間に合わせるのと同じように、語彙を（現在の）意味に適するように調整し直すような運動を待ち、期待したならば、いったい私たちは歴史の影響からも、繰り返しの亡霊からも一切守られることになるだろうか。私にはわからない。

　本当のことを言えば、私は少しこれには疑問がある。しかしながら、すでに50年の歳月が経ったが、とても若い人たちによって主張された、多少狂気じみた要求の地平の中で、言いつけを守りたくないという信条に沿って、「パロールの奪取」は一つの任務を示唆するように思う。それは創作という複数の回路によって「言語に揺さぶりをかけた断固たるもの」を延長させることだ。もし、再び始めることの矛盾が、言語と発言との関係の中で結ばれるのであれば、つまり、もし、その関係が、単に私たちの反復の見本というだけでなく、また政治的な可能性を封じてしまうものでもあるなら、それならば文学やフィク

ションの様々な書き方には、一般的な期待と状況による不安の間で、私たちの再出発の手助けになりうる媒介物や詩的なものなどを多く創作する役割があるだろう。

「言葉が存在する限り口に出す。[……]それらの言葉が私を見つけるまで」

　ベケットはかつてこう書いた。というのは、結局のところ、大切なことは、いかに再び始めることの受け身な主体であることをやめる術を知るということにあるのだ（その受身さはアレルギーや風邪、恐怖症にかかるというのと同様である）。つまり大切なことは再び始めることの積極的な主体になることだ。現代の様々な語りが足を揃えて、言語を再び活性化し、あたかも橋をかけるように主体性の輪郭を作る。さらにまた、ちょっとした合間にも頻繁に私たちを繰り返し訪れてくる人物たちを創造する。この二つの動きについて注意深く調べる労力には意義があるのだ。

原注1　当然のことながら当時を振り返ると、要求が満たされるかどうかが不安だった時期である。そして、それまでのところ失敗していたのだ。少なくとも私たちの時代においては皮肉にも、そのように懐柔される不安からは解放されている。

（訳注）
●カール・マルクス（1818-1883）
ドイツのプロイセン王国出身の哲学者、経済学者、革命家。「ライン新聞」の記者・編集者を経て、1843年、「独仏年誌」創刊のため、パリへ移住。「独仏年誌」をきっかけに、のちに協力者となるフリー

ドリヒ・エンゲルスと知り合い、古典派経済学批判に関心を深めた。また、フランス革命や社会主義にも関心を深めていった。1848年、フランスの二月革命の余波で、プロイセンでも革命を起こそうと画策してケルンに入り、「新ライン新聞」を創刊したが、革命の機運は遠のいていった。マルクスはプロイセンから追放され、ロンドンに移住し、「経済学批判」や「資本論」を執筆した。他に著書として「ドイツ・イデオロギー」や「哲学の貧困」、「ルイ・ボナパルトのブリュメール18日」などがある。

● ジャック・デリダ（1930-2004）

アルジェリア生まれのフランスの哲学者。脱構築などの概念で知られる。著書に「声と現象—フッサール現象学における記号の問題への序論」「グラマトロジーについて」「エクリチュールと差異」「死を与える」など。また、五月革命以後、哲学教育を弱めようとする動きに対して、哲学教育の重要性を訴え、自ら行動し、「哲学への権利」といった著作もある。闘牛に対しても反対の声をあげていた。

● ジュディス・バトラー（1956-　）

米国の哲学者。著書に、「欲望の主体——ヘーゲルと二〇世紀フランスにおけるポスト・ヘーゲル主義」、「ジェンダー・トラブル——フェミニズムとアイデンティティの攪乱」、「アセンブリ——行為遂行性・複数性・政治」などがある。「セックス」と「ジェンダー」という2つのカテゴリーを再検討し、フェミニズム理論に新しい視点を導入した。

● モーリス・メルロー＝ポンティ（1908-1961）

フランスの哲学者。現象学の発展に尽くした。著書に「行動の構造」、「知覚の現象学」、「世界の散文」などがある。サルトルと「レ・タン・モデルヌ（現代)」誌を創刊したことでも知られる。

● ミシェル・ド・セルトー（1925-1986）

フランスの歴史家、哲学者。イエズス会士としても知られた。著書に「日常的実践のポイエティーク」「歴史のエクリチュール」、「パロールの奪取—新しい文化のために」、「歴史と精神分析—科学と虚構の間で」「ルーダンの憑依」などがある。

7. 誤りの繰り返し　Récidive

●フローベールの未完の小説「ブヴァールとペキュシェ」

いよいよ終わり、ほぼ終わりに来た。しかしある意味では全然終わりではない。

「すべては彼らの手の中で砕けた。

　彼らはもう人生に対して何の興味もない。

　だが彼らはそれぞれひそかに良いアイデアを育んでいた。それを互いに隠しあっている。時々それを思い出して微笑む。そして、とうとう同時に打ち明ける。書写すること。

　ダブルの筆記机の製作（彼らはこれについて木工職人に相談する。彼らの考案について聞きつけたゴルグが、自分がそれを作ろうと申し出る。長持ちを想起すること）。

　記録簿、そして、文房具、サンダラック油、字削しナイフなどの購入。

　彼らはそれらをやり始める。」

「ブヴァールとペキュシェ」の第十章の草稿を締めくくるにあたって、これらの乾いたト書きの記述は様々な意味で、始まりである。フローベールの死によって中断に終わったが、まだ書かれていないテキストに関するメモ書きは第二巻へ無限に開かれている。遺言の執行者であるギー・ド・モーパッサンは、フローベールがその第二巻のために集めて書き込んだ膨大な分野〜農学、化学、心理学、歴史学、論理学、医学などの引用と、それに加えて一緒になる予定だった「紋切り型辞典」の様々なバージョンで素材が膨れ上がったため、フローベールのテキス

トを自分が編集するのは不可能だと打ち明けた。「ブヴァール
とペキュシェ」のこの最後はある意味で、再開である。まず、
ブヴァールとペキュシェが熱烈に精神的な決意をこめて投じ始
めている活動はまさに情熱そのものだ。二人は小説の冒頭で意
気投合し、お互い恋に落ちる。彼らの活動は書写（編集部注：
本や書類などを書き写したり、清書したりすること）である。筆
耕屋の天命である書写は実際に二人から決して離れることがな
かった。彼らはあらゆる知を実践してみようと、書物の知識を
様々に当てはめた、無益な試みを数限りなく行ったが、書写こ
そ彼らをひそかにそこへ導いたものだった^{（原注1）}。

　次に最終的に、二人が模倣の精神の純粋さを認めたことで、
彼らは物語自体に自らをコピーさせたため、彼らの清書は第一
巻でその経緯が描かれた、教養から崩れ落ちた面をそのまま対
象にしなくてはならなかった。さらに、フローベールが科学的
な冒険物語を創造するにあたって具体的に役立った情報源もま
た清書の対象にしなくてはならなかったのだ。従って「ブ
ヴァールとペキュシェ」の第二巻は第一巻の反復になり、終わ
りのない、痩せた創作記録になるはずだった。それはあたかも
ブヴァールとペキュシェが互いに模倣しあっているようなもの
だ。二人は「アンコール」のような呼び戻しで、さらに新たに
登場となる予定だった。というのも、草稿では戦略的に、長い
筆写の後に、医者が県知事の要求でしたためた手紙がさしはさ
まれることが予定されていた。その報告では、二人の男の無害
な性格が結論づけられる。

　「二人のすべての行動と思考を要約するなら、それは読者に

とっては、小説への批評に相当するものになるに違いありません」

　この螺旋形の構造の中にこそ、小説が極度に皮肉な1つの運動のうちに執筆された物語の上に、自らを位置づけるやり方が存在する。また、この構造の中に、著者にとっては失念を二度、免れる方法が存在している。というのも作家が自分に向けて投じた作品は、未完成であると同時に著者の死後に完成することもできなくなるからだ。片や「ブヴァールとペキュシェ」は時に作者の絶対性を示す記録として繰り返し読まれてきたが、片や名の知れぬ言説や、資料館の果てしないつぶやきの証言記録から織りなされたものの一片を採取したようでもある。

　そうではあるが、すべてが手の中で壊れてしまっているブヴァールとペキュシェがどうやって再び始めるのかと、二人の筆箱の執筆そのものを考察しながら素朴に自ら問いかけることは滅多にしてこなかったのだ。二人はどうやるのかという問いを投げかけるためには、ぐずぐずする癖が現代の悪になっているからこそ、おそらく「彼らはそれをやり始める」という短い文が私たちの時代に於いてはよい知らせに見える必要があるだろうし、その単純さが福音書のように感じられる必要があるだろう。

●永遠に学べない二人

　二人はどうするのか。よく観察すれば、筆写する二人の積極的な活動は幾つかの条件に支えられたものであることが理解できる。その条件によって、彼らの知識体系への冒険は永遠に再

開を繰り返すものとなるのである。まず、近代性が行動の前提条件を作ったという重大な要求をさかさまに受け入れながら、二人は知への欲求の中に、何であれ知識の成立を可能にする要件に対しては完全な無関心を示すのだ。それが農業であろうと、人間の精神であろうと、アングーレム公爵の伝記であろうと、それぞれの探求の出発点は「ほら、もしかして……」というような偶然の性格を帯びている。改宗でさえも、偶然の香りがあるのだ。

（「*彼らを死から救ったものは偶然のみだっただろうか？ [……] そこで彼らは敬虔な本を読もうと考えるに至った。*」）

知識に対する野心は、ここでは知識の成り立つ条件への反省的な探求に対して完全に目を閉じている。そして滑稽さはしばしばそこに提示された科学的概念そのものから生まれている。それらは通念に過ぎなく、日常の知覚の対象物と一緒に並べられ、弁証法的な反省は何一つ含んでいないのだ。

「*彼らは人体がマッチと同じように燐を含み、卵の白身と同様にアルブミンを含み、街路灯のように水素を含んでいたりすることを考えると、一種の屈辱を感じていた。*」

どこから始めようが、ブヴァールとペキュシェは訪れるものに取り組む。彼らにとって大事なのはそれから行う熱狂的な検討だけだ。ニキビいっぱいの顔をし、リュストリン製の服のボタンをキチッとかけた従兄弟たちは驚く。それは、あたかも

「南回帰線」の冒頭で雄々しく吠えているヘンリー・ミラーのようだ。

　「*一度、魂を吐き出せばすべてを終わらせることができるのだ。残りがついてくるのは間違いがない*」。

　逆に、ある特定の知識の調査と探検の終わりに、大切なことは厳密に言えば何も残らない、ということである。記憶に留まることができるすべてのことや、最初の問題を修正した新たな立場はすべて焼き尽くされ、無になることによって新たな世界が切り拓かれ、次の冒険に貢献するということだ。

　そういうわけで、蒸留器を破壊する爆発の理由は「*蒸留窯の頭がボルトで固定されていた*」ことにあったのだが、この失敗は一切理解されず、化学知識への渇望だけが浮き彫りになるのだ。このエピソードはこの小説で最も知られた箇所である。

　別の言い方をすれば、もし実験を始めたり、それをもう一度始めたりすることが可能であるのは、その前のエピソードでいかなる痕跡も獲得されうることがないし、障害や反省などを強いたりということもないからなのである。毎回、起きることは偶然と消滅の二つの徴のもとで前の出来事に結びついている。もし近代性への二つの道が、批判精神と百科事典であるなら、つまり知を可能にする条件の確認まで遡ることと、一貫した全体性の中でさまざまな領域と研究分野のシステム的なつながりを作ることであるなら、ブヴァールとペキュシェは確かにその道を猛スピードで真逆の方向に進んでいるのだ。

　また言い換えるなら、よく知られたことだが、ブヴァールと

ペキュシェは馬鹿なのである。だが、フローベールの馬鹿に対する強い関心やドゥルーズが超越論的なレベルまで馬鹿さを論じた流儀などについてここで語るよりも、むしろ私は問題を異なった形で問いかけてみたい。

　もしフローベールが、読者が登場人物たちよりも自分が賢いのだと思いがちな傾向を徹底的に粉砕することを仕掛けていた（むしろ登場人物よりも無知なのだと知らしめて読者にめまいを与える）ことを認めるなら、また他方でこの知的冒険において、愚かさが常にこれら二人の筆耕の男について回り、フローベールが道楽で集めた、彼らが書き写しているテキストであれ、茫然とさせる科学の一端であれ、何らの知識も二人がわが物に出来ないことを認めるなら、「ブヴァールとペキュシェ」という小説における愚かさとは二人の個人的な病を指すのではなく、むしろある関係を指すと言えるだろう。それは客観的知識と知識を持つ主体とを取り結ぶ関係であり、この関係は知識も知識を持つ者もどちらも変容させることができない関係である。

　ミシェル・フーコーは「主体の解釈学」と題したコレージュ・ド・フランスの講義の中で、哲学と求道の有意義な区別を提案している。もし哲学が、「*主体がどうやって真実に到達するかを問う思考形態であるなら*」求道は一度に「*探求、実践、経験を経て、主体が真理に達するために、自分自身に必要な変化を及ぼすこと*」である。そして「*真理が逆に主体に及ぼすもの（啓示や至福や輝かしい変貌などの効果）*」だ。前者は知ることに適しうる存在にしてくれるものへの反省的な探求であり、後者は真理への到達の道筋が要求する自己変革、そしてま

たその道で得られる自己変革のさまざまな形である。そのような区別の価値を認めるのであれば、「ブヴァールとペキュシェ」は、おそらく西欧文学ではおそらく唯一なものだろうが、主体と知との関係を、反哲学的というだけでなく、ラディカルに反求道的な知との関係として、さらには、それら二つの秩序が互いに滑りあってもいる関係の可能性を探求していると言うべきだろう。それはあたかも取り組んでいる分野に主体が影響されることに無関心であり、また何一つ主体に変化を与えることのできない科学のようだ。

　確かにこの滑り込みと関節がはずれたような事態は何か恐ろしく、ある種の現代の知識への態度をも示唆するからこそ、その不気味さは大きい（知識は今日においては途方もなく入手できるものなのだが、どう使えば良いのか自問することが必要だ）。

　フローベールの特性は、多分、その恐怖からよい知らせを引き出すことにある。二人の男たちに無限に誤りを繰り返す能力を与えるのだ。ブヴァールとペキュシェがそのように再び始めることができるとしたら、それは彼らが、生気に乏しい知識がスピリチュアルな変容を遂げるための条件と同様、知識を可能にする哲学的条件に対しても頑なに心を閉ざしているからであり、その結果、彼らには三つの無関心が与えられる。

　まずは時間に対する無関心である。フローベールにインスピレーションを与えた教科書から取り出されたものだが、二人の男が行う実験の時間はそのまま小説が進行する中で書き込まれる。たとえ、それらが物語内容の時間とは絶対合わないとしても、である。いったい、教育目的の実験に6か月も費やす必要

があるのだろうか？　実験は6か月続くと書かれており、その間、他のすべての行動は凍結してしまっているのである。

　もう一つの無関心は記憶への無関心である。二人が抱いていた園芸の夢を支えていた梨の樹が倒れたシルエットは彼らの夢の破産を表すが、フローベールはその次の章で単にこう語る。

　「*彼らは庭について考えた。そこの真ん中に枯れた樹が倒れているのは邪魔だった。彼らはそれを切った。この作業で二人は疲れた。*」

　さらなる無関心としては、死にさえも無関心であることだ。それを逆説的に証明するのは次のエピソードだ。不運にもその一件は自分たちが愚かだという意識を呼び覚まし、ブヴァールとペキュシェは、もはやそれが何であれ、何一つ実行することができなくなる。

　（「*元気を取り戻すために、彼らは推論を行い、仕事を自分に命じ、そしてすぐにより強い怠惰や深い失意に陥った。*」）

　ぐずぐず先送りすることは二人を自殺に追いやっていたことだろう、二人が偶然帰路で深夜ミサに出くわして、持ち前の愚かさに戻ることがなかったなら。

●歴史という壮大な漫画の疲れを知らぬ登場人物たち

　このような過ちを繰り返す疲れを知らない素質を前にして、

私はブヴァールとペキュシェは小説の主人公たちではなく、む
しろ、歴史という漫画の最初の登場人物のように思える。とい
うのも、あたかも「トムとジェリー」や「狂暴リス」らがピア
ノやハンマーや鉄床の雨嵐を受けているように、ゴムのような
体はバベルの図書館の崩壊を受けても傷一つないのだから。

　そして、終わることなく要約を繰り返す運命の輪の上で、物
語を捻じ曲げる力を見て、フローベールはおそらく時間を旅す
る手段を発見したのだと私は思った。彼は前もって、まだ生ま
れていない本の余白に二人の男たちを描き込んだのではないか
と思う。それはもう一冊の本であり、全く同一的に螺旋に沿っ
て終わりは最初に戻る。というのも、それはすでに私たちが手
にしており、すでに読み終えた数千のページを書こうと決定さ
れるところで閉じられるからである。その最後のひねりは光の
下でもう一度読まれるべきであろう。それはブヴァールとペ
キュシェが読者はすでに読んだところの知識を書き写そうと準
備するくだりである。もう一冊の本（※マルセル・プルースト
著「失われた時を求めて」）の方は、フローベールが死んだ時
にまだ書かれていなかった。そこでは論理が逆であるのだ。と
いうのも、「失われた時を求めて」の場合は、それぞれの経験
は〜紅茶に浸かった一個のマドレーヌ菓子だったり、小石の道
に足を踏み入れたり、と〜常にうち震える、はつらつした主観
性の中に受け入れられる。ところが、ブヴァールとペキュシェの
主観性の場合は、元気いっぱいだが経験から何一つ吸収するこ
とがないのである。フローベールは「ブヴァールとペキュシェ」
では、単純過去形を使ったが、あまりにも客観的に書いたため
に現在形に近くなった。一方、プルーストは「失われた時を求

（訳注）

めて」を、半過去形を使って主観的に書いた。そのように一方
は決意、他は誤りの繰り返しであるが、それらはレパートリー
を広げてくれる。作家たちはあなたが鐙にもう一度足をかける
ために、たくさんの技を持っているのだ。

原注1　筆写に欠かせない空間、そして「模倣の精神」に関して、
　　　ピエール・サンジュの小説「筆耕としての作家」(2014年)を参
　　　照されたい。

(訳注)
●ギュスターヴ・フローベール (1821-1880)
フランスの小説家。著書に「ボヴァリー夫人」、「感情教育」、「サラ
ンボー」、「ブヴァールとペキュシェ」などがある。モーパッサンは
旧友の甥にあたり、フローベールが文学の手ほどきをしていた。

●マルセル・プルースト (1871-1922)
フランスの小説家。10年以上を費やして執筆した自伝的大作「失わ
れた時を求めて」で著名。社交界で過ごした長い時間を、1つ1つ
のささやかな記憶をもとに掘り起こして芸術作品に昇華させた。「無
意識的記憶」がキーワードとされる。小説の中の1篇、「花咲く乙
女たちのかげに」ではゴンクール賞を受賞した。1922年にプルース
トは亡くなるが、その後も続編が刊行され続けた。

参考文献

第一章

Bertrand Russell, Histoire de mes idées philosophiques, trad. G. Auclair, Gallimard, 1961.

バートランド・ラッセル著「私の哲学の発展」(みすず書房)

第二章

Hannah Arendt, Condition de l'homme moderne, trad. G. Fradier, Presses Pocket, 1993 ;

ハンナ・アレント著「人間の条件」(ちくま学芸文庫)

Journal de pensée, 1950-1973, trad. S. CourtineDenamy, Seuil, 2005.

ハンナ・アレント著 「思索日記 Ⅰ・Ⅱ」(法政大学出版局)

第三章

René Descartes, Méditations métaphysiques.

ルネ・デカルト著「省察」

Cesare Pavese, Le Métier de vivre, trad. M. Arnaud, rév. M. Rueff, Gallimard, 2014.

第四章

Charles Dickens, Un chant de Noël.

チャールズ・ディケンズ著「クリスマス・キャロル」

Samuel Beckett, L'Innommable, Minuit, 1953 ;

サミュエル・ベケット著「名づけえぬもの」(白水社)「名づけられないもの」(河出書房新社)

Molloy, Minuit, 1951 ; Pour finir encore, Minuit, 1976 ;

サミュエル・ベケット著「モロイ」(白水社、河出書房新社そ

の他）

Worstward Ho, John Calder, 1983.

Évelyne Grossman, L'Angoisse de penser, Minuit, 2008.

Michel Foucault, L'Ordre du discours, Gallimard, 1971.

ミシェル・フーコー著「言語表現の秩序」（河出書房新社）「言説の領界」（河出文庫）

第五章

Platon, Le Politique

プラトン著「政治家」「プラトン全集〈3〉ソピステス・ポリティコス（政治家）」（岩波書店）

Jacques Lacan, Le Séminaire, livre XI. Les Quatre Concepts fondamentaux de la psychanalyse, Seuil, 1973

ジャック・ラカン著 「精神分析の四基本概念」（岩波書店）

Hans Blumenberg, Préfiguration. Quand le mythe fait l'histoire, trad. J.-L. Schlegel, Seuil, 2016.

Nicolas Machiavel, Le Prince.

ニッコロ・マキアヴェリ著「君主論」

第六章

Karl Marx, Le 18-Brumaire de Louis Bonaparte, trad. revue par G. Cornillet, Éditions sociales, 1984.

カール・マルクス著「ルイ・ボナパルトのブリュメール 18 日」（岩波文庫）

Jacques Derrida, Spectres de Marx. L'État de la dette, le travail du deuil et la nouvelle Internationale, Galilée, 1993.

ジャック・デリダ著「マルクスの亡霊たち」（藤原書店）

Georges Courteline, La Peur des coups. Saynète en un acte.

Judith Butler, Trouble dans le genre. Le féminisme et la subversion de l'identité, trad. C. Kraus, La Découverte, 2006 ;

ジュディス・バトラー著「ジェンダー・トラブル ――フェミニズムとアイデンティティの攪乱」（青土社）

Le Pouvoir des mots. Discours de haine et politique du performatif, trad. C. Nordmann, Amsterdam, 2008.

Maurice Merleau-Ponty, La Prose du monde, Gallimard, 1969.

モーリス・メルロー＝ポンティ著「世界の散文」（みすず書房）

Michel de Certeau, La Prise de parole, et autres écrits politiques, Seuil, 1994.

ミシェル・ド・セルトー著「パロールの奪取――新しい文化のために」（法政大学出版局）

第七章

Gustave Flaubert, Bouvard et Pécuchet.

フロベール作「ブヴァールとペキュシェ」（岩波文庫）

Henry Miller, Tropique du Capricorne, trad. J.-C. Lefaure, Chêne, 1946.

ヘンリー・ミラー著「南回帰線」（講談社、新潮文庫）

Gilles Deleuze, Différence et Répétition, PUF, 1968.

ジル・ドゥルーズ著「差異と反復」（河出文庫）

Michel Foucault, L'Herméneutique du sujet. Cours au Collège de France, 1981-1982, Gallimard-Seuil, 2001.

ミシェル・フーコー著「主体の解釈学」（筑摩書房）

Marcel Proust, À la recherche du temps perdu.

マルセル・プルースト著「失われた時を求めて」（集英社、岩波文庫、ちくま文庫ほか）

訳者あとがき

　「Recommencer」というタイトルはどう訳すべきなのか。実は
とても難しい。白水社の仏和辞典を引いてみると、Recommencer
というフランス語の動詞には「再び……し始める」、とか、「再
開する」あるいは「やり直す」や「繰り返す」などがあり、それ
らは似てはいるけれども微妙なニュアンスの違いがある。さら
に、この Recommencer をめぐっては著者のマチュー・ポット＝
ボンヌヴィルさんが 1 冊のエッセイ集を書けるほどに周辺に
ニュアンスの違いのある動詞の群れがある。タイトルをもし
「やり直す」と訳したら、人生のリセットに成功した人が書き
下ろした指南書とか、破産したり、離婚したり、刑務所に入っ
たりした人々が再起に成功した経験談みたいな本にも見えるだ
ろう。ところが、これは現代フランスの第一線に立つ哲学者が
書き下ろした哲学エッセイなのである。途中で挫折してしまっ
た企てをもう一度、やり直す、ということはいったい、どうい
う作業なのか。そこにどんな困難がつきまとうのか。それらの
経験を私たちはどう共有し、どう分析し、いかにやり直すこと
の困難さを乗り越えていくことができるのか。と言っても金策
とか、イメージチェンジの方法、あるいは忘却術みたいな処世
術的な方法論ではなく、やり直しにつきまとう制度や構造上の
難しさとか、年齢的な問題とか、執念深さの国民的伝統とか、
運動で代々用いられる言葉の問題など様々なことが分析の対象
となる。とはいえ哲学エッセイではあるけれども、市井の人生
に対する眼差しも同時にある。本書で参照される論理学者・数

学者フレーゲの企ての挫折とか、詩人パヴェーゼの自殺とか、フローベールの小説の登場人物たちである「ブヴァールとペキュシェ」の失敗から永遠に学ぶことができない晩年など、人間的関心を持って本書を読んでいくことができる。

　私は今までこのような本を読んだことがない。翻訳に携わった者として、「もう一度やり直す」ということに、人がここまでこだわり、執念深く考え抜けることに驚きを禁じえなかった。特に、「始める」という語と「デビューする」という語の違いの分析は実に新鮮だ。「やり直す」と「繰り返す」の違いとか、「続ける」と「もう一度始める」との違いもだ。著者はまずこうした私たちが何気なく使っている言葉に焦点を当てて、その違いを細かく見ていく。先駆者にあやかって歴史を繰り返そうと試みる野心家たちへの批判的分析も面白い。読んでいると「時間」に対する思考や感性が日本人と違っている気がした。だとすれば、当然ながら「歴史」に対する思考や感性も違っているだろう。カントやヘーゲルなどの哲学書をひもとくときに、論理体系の背後にある西洋人の思考様式が理解できれば、彼らの論理展開ももっと受け入れやすくなるのではなかろうか。本書にはそうしたヒントがたくさんあるように思う。

　従来、日本人は淡泊だと言われる。すぐに諦めたり、失敗すると絶望から、自殺したりしてしまいしがちだ。逆に、西洋人は執念深いと言われてきた。何度失敗しても大西洋を横断して米大陸にたどりついたり、鳥への憧れからついには飛行機を作ったり、個人でも使えるコンピューターを作ったり、などなどそれまで不可能に見えたことを次々と成し遂げてきた。こうした画期的なことは一度失敗したら諦めてしまうメンタリティ

ではとてもできない。ましてや死んでしまっては元も子もない。一度失敗しても移住したり、新たな会社を立ち上げたりしてやり直しを試みる。欧米ではどんな状況に陥っても生き延びることに執念を持つ人が多い……誰が言ったのかわからないが、子供の頃からこのことが通念として私の頭にある。だから私は、本書は日本人にとって必読の本ではないかと思うのである。会社をリストラされたとか、50代になって体力の衰えを感じて先行きに絶望したと言って自殺するような日本人の「弱さ」を認めたうえで、それを乗り越えるにはどうしたらいいのか。そのヒントが私はフランスにある、といつ頃からか、ずっと思ってきた。会社から解雇されたら生きていけない仕事原理主義とか、若さを失ったら生きる価値がなくなるという若さ原理主義みたいな、「……でなければならない」という思考に日本人はどっぷり浸かってしまっている。桜が散っていくようなはかなさの美学が根づいている。だから、そこからひとたび離脱を余儀なくされたら孤独でとても脆弱だ。こうした思考様式だと、今のようなご時世、多くの人は老いるにつれて死にたくなるばかりだろう。こうした状況を変える必要がある。私には、フランスにはこうしたものとは異なる価値体系があるように思われる。だから、私が本書に出会ったのは今になってみれば必然だった気がする。西洋人のしぶとさの核にある思考が本書の中で展開されていて、日本人にとっては恐らく歴史上初めて西洋人のしぶとさの思想的背景を知ることができる機会ではないか、と思う。もちろん、西洋人だからと言ってみんながこうした深い思索を行っているわけではないだろう。しかし、マチュー・ポット＝ボンヌヴィルさんがこうした思索を行い得る

のは、私にはやはり西欧の伝統が背後にあるのではないかと思えるのだ。

©Hervé Véronèse – Centre Pompidou

　マチュー・ポット＝ボンヌヴィルさんは現在、パリにある総合文化施設、ジョルジュ・ポンピドー国立芸術文化センターのディレクターをしており、様々な文化的なプログラムを作っている。ジャンル的には映画や演劇、討論などのプログラムを作っているとのこと。そんなポット＝ボンヌヴィルさんについてはまだあまり日本では一般に知られていないと思うので、以下、Q&A の形で、インタビューに答えていただいた。

Q　あなたはなぜ、そしてどのように哲学者になって行ったのですか？

A　私の哲学者としての歩みは少し変わっています。大学での学業はまず映画についてでした（ソルボンヌ＝ヌーヴェル大学でした）。次に人文科学を勉強しました。言語学、社会学、人類学などなど。改めて哲学に出会ったのはこの枠組みにおいてで（高校では哲学にとても興味を持っていました）、1つの特別な接点があったのです。それは私が学んでいたのが言語学の学科だったものですから、私たちが受講できる哲学はとりわけ言語の熟考にあてられていたわけです。論理学と英米の分析哲学の伝統が中心でした。

　その後、私はこうした問いの立て方をするこの流派からはかなり遠ざかることになりました。哲学の問いにおいて、厳密で明白な提示に努める姿勢は持ち続けているとしてもです。

　哲学の教養を深めようと、私は次に哲学におけるアグレガシオンという試験の勉強を始めました（これは非常に難しい試験なのです。フランスのアカデミーに特有のシステムです。アグレガシオンに合格するには西洋における哲学のすべての時代とすべての流派に関して問われることになるのです）思うに、いささか私は通常とはさかさまをやったのです。普通は哲学科の学生たちは哲学全般の勉強から入り、次に特定の領域に特化していき、そして、その領域の哲学を外部の対象や他の研究分野に応用してみるのです。私の場合はまず外部（映画や人文科学）から入り、次に十分に特定の哲学流派を学び、最後に哲学の歴史全般の知識へと広げていったわけです。

Q　多くの哲学者がいる中で、あなたはなぜミシェル・フーコーの研究に携わるようになったのでしょうか？

A　私のフーコーへの関心は3つの関心が交わったところで生まれました。最初に、フーコーがコレージュ・ド・フランスの就任記念講演で話したことを読んだのですが、それは「言語表現の秩序」というタイトルで、これは言語哲学においても有効だということに私は気がつきました（言語哲学は私がその時、学んでいたものです）。しかし、それは歴史や政治への関心をも合わせ持っていたのです。そのことはフレーゲやラッセル、あるいはウィトゲンシュタインら分析哲学の流派の伝統とは異なるアプローチでした。フーコーが対象にしていたものは抽象的あるいは人工的な言説の例ではありません（「猫が敷物の上にいる」みたいな）、そうではなくて、発語された場所を持ち、具体的な社会問題を語る言説の集合体だったのです。

　2つ目として、それと同じ時代に、私は一連の社会問題と取り組む政治活動家でした。エイズの伝染に対する闘いや外国人の権利の擁護などです。これらはフーコーが行った思想や闘争が直接影響を落としているテーマです。最後に、3つ目としてフーコーの書いたものを明らかにすることには文学的な悦びがあるということです。精緻な論理が文体についての作業と両立できないわけではないという事実を知るわけです。哲学と文学との境界でものを書くことができる（哲学の範疇でも、文学の範疇でもなく！）、そのことが私を驚嘆させたのでした。

Q　「Vacarme」（喧騒）という評論誌に参加されていますが、それについて教えていただけますか？

A　「Vacarme」という評論誌は1997年に私も参加していた同

人によって創刊されました。そこでは 2 つのことが共通の事柄になっていました。1 つは知的な作業です（ピエール・ザウイがこの同人の中心でしたが、哲学者です。他にも文学の専門家や社会学者などがいました）。もう 1 つは、様々な闘争の活動家であることです。それらは当時、「新しい社会運動」とフランスでは呼ばれていたものの周辺にありました。

　それらの運動は政党が組織するものではありませんでした。それらの運動は特定の領域に集中していました（エイズ、失業者、移民の権利、あるいは様々な国際的な政治事件などに絡んでです）。というのは、ある領域で活動することは一般的な広がりを帯びていると考えられていたからです。たとえば、エイズに対する闘争は同性愛者や麻薬の消費者、囚人らへの差別に対する闘いでもあったからです。そしてまた医学界の権力や社会規範などを問うことでもありました。Vacarme のプロジェクトはこれらの問題群を取り巻く熟考や言説の空間を創造することでした。またこの媒体で運動の闘士たちの理論が響きあうことを促し、運動の闘士たちや哲学研究者、さらには人文科学の研究者、芸術家、作家らの交流を深めようとしたのです。

Q　本書「Recommencer」のコンセプトはどのように作られていったのでしょうか？

A　"Recommencer" の出版プロジェクトは 2 つの関心事の接点で生まれました。1 つは倫理的あるいは実存的な問題を自分に問いかけるために書いたのです。ナイーブではなく、自分自身を偽るのでもなくして、人生の中で「新たな出発」をするには

どうすればよいのか（つまり、すでに「最初の回」の年齢ではないことを自分で意識していながら）、これは私が個人的に抱いていた問いかけなのです。

　それは同時にまた、一群の哲学と文学を横断する問いかけです（私はロラン・バルトが晩年に書くことを夢見ていた「Vita Nova」（新生）のための技法について考えます。このタイトルは西洋の伝統における最大の詩人の一人、ダンテ・アリギエーリの作品のタイトルを借用するものです）。そしてまた、これはフーコーについて研究した時、問いかけてみると面白いと思った問題なのです（というのは、フーコーにおいては、矛盾、パラドックス、不可能な見解などは倫理的な熟考が発展させるものでもあったからです）。

　また他方では、この問いかけは政治や歴史の射程をも合わせ持つという感じを抱いていました。20世紀末は歴史の終わりという問いかけによって刻印されています。人々の中には満足できる政治モデルに到達したのだから歴史は終わったと言って肯定する人たちがいました（それを世界中に当てはめれば十分だと言うのです）。それがフランシス・フクヤマの説です。他方ではもっと悲観的だったり、冷笑的だったりする人々が人類はすべてを試してみて、もはや何一つ信じることができなくなったから、歴史は終わったのだと答えました。ただ1つ残された可能性はふりをすることです、冷笑的なやり方を取ってみたり、過去の徴から距離を置いたり（それは結局、「ポストモダン」の周りにある熟考です）。20年後、フクヤマの言説は多少色褪せ、もっと深刻になっています（ある意味では、歴史の終わりという思想から、世界の終わりという思想へと移行した

のです)。

　しかしながら、終わりの終わりについて無限に説明するより
も、私たちはどのような政治行動の種類を取ることが可能なの
でしょうか？　この問いかけは私の倫理的な問いかけからそれ
ほど隔たっていないことにお気づきでしょう。どちらの場合
も、問いかけの本質は失望することなく、いかに今日、明晰で
あり得るか、ということを知ることにあります。

Q　影響を受けた本や映画について教えていただけますか？

A　私の教養と趣味は非常に幅が広いです！　おそらく教育過
程でたくさんの領域を往来したからだと思います。とりわけ、
「通好み」とか難解だと考えられている作品群（哲学において
は多分、スピノザの作品とか、文学ではローベルト・フォン・
ムージルの「特性のない男」とか）に惹きつけられると同時に、
民衆的な、あるいはマスカルチャーに属すると見られる作品群
にも惹きつけられます。私が「The Wire」のシリーズや「Game
of Thrones」のような作品について書くのはそういうわけです。
これらの作品は、ナレーションの選択やラディカルな思考とと
もに、民衆的文化の側面と同時に、「大人」についての考察の
側面にも関わっています。

　もし、日本文化との比較をする必要があるのでしたら、私は
小津の映画（とても若い頃、高校で発見しました。というのは
私たちのフランス人の教師が徹夜で小津映画の上映会を催して
くれたからです）から小島秀夫の作品まで興味を持っていま
す。小島秀夫について私は大ファンでいつかパリのポンピドー

センターにお招きしたいと夢見ています。というのも小島秀夫は同時代の芸術家たちと同様に、私たちの時代の映像文化を刷新した考えるからです。

（インタビューはここまで）

　この中でフランシス・フクマヤの「歴史の終わり」に関する話が出てくるが、これはマチュー・ポット＝ボンヌヴィルさんがフランスキュルチュールのラジオ番組の中で、"le temps du présentisme"（プレンザンティズム＝「現在」主義の時代）と語っていたことが印象に残ったので、あえて質問したのだった。つまり彼の中には歴史が終わった後は永遠の現在に閉ざされてしまうのではないか。それは恐ろしいことではないか、という認識があるのだ。番組の中で、彼は１つの例としてビル・マーレイ主演の映画「Groundhog Day」（邦題は「恋はデジャ・ブ」）のことを語っている。地方局のお天気キャスターのマーレイはあるお祭りを訪ねた時に、何かが狂ってしまい、彼だけが毎日同じ日を来る日も来る日も繰り返すことになってしまう。朝起きると同じ風景、同じ人々と同じ場所で出会う。日ごとにマーレイはたまらなくなってくる……映画ではビル・マーレイがこの悪夢的状況を脱するためにあらゆる手を試みる様がユーモアたっぷりに描かれている。彼は「現在」に閉じ込められてしまうのだ。もし歴史が終わった時、その先に進歩も何もなければ永遠に「今」しかなくなる。「明日はよくなるだろう」という認識が崩壊した時代にあるという考え方が現在主義présentisme のようである。しかし、もしそうであれば、それは人間が生きる条件として、どうなのか。ポット＝ボンヌヴィル

さんが本書を書いた動機の中に、未来からも過去からも切り離された、現在というこの輪から脱出することが動機としてあった。それは歴史をもう一度動かし、現在と異なる世界を作るということである。そのためには一日、一日、歴史が作られていく、という意識を持つことが大切だろう。冷戦終結で、破綻という形で終わった左翼の歴史の「再開」と見ることもできるかもしれない。とはいえ、本書では政治の右左に関しては触れられておらず、むしろ、哲学史的なエピソードが満載で、人生論でもあり、イデオロギーにとらわれることなく誰が読んでもそれぞれ楽しめる本になっていると思う。

　私が著者のマチュー・ポット＝ボンヌヴィルさんと初めて出会ったのは2018年5月に東京の日仏会館で行われた「ミシェル・フーコー：21世紀の受容」と題するシンポジウムだった。以前私はパリで「Nuit Debout」（立ち上がる夜）という政治・社会運動を取材したことがあったのだが、その時出会った哲学者のパトリス・マニグリエ氏がこのシンポジウムで登壇すると言うので〜個人的にはフーコーについてさして関心があったわけではなかったのだが〜話を聞きに出かけたのである。マニグリエ氏が対談した相手がポット＝ボンヌヴィルさんだった。マチュー・ポット＝ボンヌヴィルさんについて私はまったく無知だった。しかし、このシンポジウムは絶品だった。話を聞くうちに、生まれて初めて真剣にミシェル・フーコーを読みたいと私は思った。フーコーは「言葉と物」の最終章で「人間は波打ち際の砂の表情のように消滅するであろう」と記したが、先進国が押し付けるスタンダードな人間像が崩れ、これからは様々

な差異を認め、「人間」とは多様性を包摂する様々な人間の集合体ということでよいではないか、と彼らは語った。このことが文明間の対立を乗り越えて、21世紀に求められているのである。そして、二人はともにフーコーのテキストで最も重要だと考えるものは「啓蒙とは何か」だと答えた。

左がマチュー・ポット＝ボンヌヴィル氏、右はパトリス・マニグリエ氏。2018年の来日講演の時、日仏会館にて。

　マニグリエ氏が参加した「立ち上がる夜」という運動はパリの共和国広場に千人以上の人々が毎晩集まり、様々なテーマで討論したり、そこで知り合った人々同士で新たな活動を起こしたりする珍しい運動である。マニグリエ氏は哲学者だからといって、書斎にこもって抽象的な思索にふけっているだけではない、といったタイプである。サルトルやボーヴォワールらに

象徴されるフランスの伝統と言ってもよいだろう。そのことは思想的には異なっていたとしても、ミシェル・フーコーにも同様だった。マチュー・ポット＝ボンヌヴィルさんも同じように哲学者の「実践」にこだわっている人のようだ。実際、さきほどの回答でも見られるようにエイズの問題を含め、様々な運動に主体的に参加した経験があるということである。そのことは「Recommencer」の内容とも重なってくることがわかる。

　本書は私（村上）がまず訳し、それにフランス著作権事務所のコリーヌ・カンタンさんが朱筆を入れ、最後に私がその修正を受け入れた上で最終的に仕上げる、という形で行われた。「Recommencer」の原文は私にはかなり難解だった。ボリューム的には 70 ページに満たない本だから楽勝だろうと思って安易に始めたのを悔やんだ。直しもかなりの個所に上り、翻訳におけるカンタンさんの貢献は計り知れない。出版に当たっては「立ち上がる夜」に続いて、この出版プロジェクトを決断してくださった社会評論社の松田健二社長に改めて感謝いたします。

2020 年 4 月 25 日

村上良太

Cet ouvrage a bénéficié du soutien des Programmes d'aide à la publication de l'Institut français.

本書は、アンスティテュ・フランセの翻訳出版助成プログラムの助成を受けています。

マチュー・ポット＝ボンヌヴィル（Mathieu Potte-Bonneville）

　1968年、フランス中部のティエールで生まれる。哲学者で、ミシェル・フーコーの研究者として著名。パリの総合文化施設、ジョルジュ・ポンピドゥー国立芸術文化センターで映画や演劇、討論などの催しを担当するディレクターをつとめている。著書には本書以外に、「Michel Foucault, l'inquiétude de l'histoire」（PUF, 2004）や、歴史家フィリップ・アルティエールとの共著「D'après Foucault 〜Gestes, luttes, programmes〜」（Les Prairies ordinaires, 2007）など。また、最新刊としてマリー・コスネイとの共著、「Voir venir - écrire l'hospitalité」（Stock, 2019）がある。

村上良太（むらかみ　りょうた）

　1964年、岡山県生まれ。映画の助監督を経て、TVの報道・ドキュメンタリー番組のディレクターをつとめる。著書に「立ち上がる夜〈フランス左翼〉探検記」（社会評論社）など。

もう一度…やり直しのための思索
フーコー研究の第一者による7つのエッセイ

2020年4月25日　初版第1刷発行

著　者：マチュー・ポット＝ボンヌヴィル
訳　者：村上良太
装　幀：右澤康之
発行人：松田健二
発行所：株式会社 社会評論社
　　　　東京都文京区本郷2-3-10
　　　　電話：03-3814-3861　Fax 03-3818-2808
　　　　http://www.shahyo.com
印刷・製本：倉敷印刷 株式会社

立ち上がる夜
〈フランス左翼〉探検記

村上良太著

A5判320頁　定価＝本体2600円＋税

　"左翼発祥の地"パリ。フランス革命からおよそ230年間、左翼は脈々とパワーを保ってきた。ところが2017年のW選挙で社会党は大敗、マクロンが率いる中道政党が議席の大半をさらって行った。そして社会党は崩壊の危機に陥っている。

　ところがその一方で、混迷の中から新しい左翼も生まれていた。彼らは政党や労組などの既存組織に失望し、夜毎に数千人が共和国広場に集まり自分たちで討論会を開くようになった。

　「立ち上がる夜」と名づけられたこの運動は「隷属することを拒否し、立ち上がろう」というメッセージを持つ。事実、「立ち上がる夜」はとてつもない潜在力を持ち、2017年の大統領選挙でもあと一歩で独自の大統領を生み出す直前にまで至っていたのだ。

　フランス政界はまだまだ大きな変動が今後起きるだろう。その時、鍵を握るのは「立ち上がる夜」に参加した人々に違いない。哲学者、画廊主、映画助監督、公務員、経済学者、ＩＴ起業家、書店主、デザイナー、ジャーナリスト、学生、映像作家など、「立ち上がる夜」に参加したこれらの人々を訪ね歩き、個性的で魅力あふれる一人一人の物語を描き出す。本書は現代フランスを体験したい人々のための新しいガイドブックとなるだろう。